Learn Frenc

Random, Interesting & Fun Facts

Parallel French And English Text To Learn French The Fun Way!

French Hacking

One language sets you in a corridor for life. Two languages open every door along the way.

- Frank Smith

French Hacking was created to teach French students how to learn the language in the shortest time possible. With hacks, tips, & tricks, we want our students to become conversational and confident by teaching what's necessary without having to learn all the finer details that don't make much of a difference or aren't used in the real world. Check out our other books by searching French Hacking on Amazon!

If you enjoy the book or learn something new, it really helps out small publishers like French Hacking if you could leave a quick review so others in the community can also find the books! You can do so by scanning the QR code below which will take you straight to where you can leave a review.

Who's it for?

This book is written for students who are just starting out all the way to intermediate French learners (if you're familiar with the Common European Framework of Reference - CEFR, it would be the equivalent to A1-B1).

Why you'll enjoy this book

- It's fun, interesting, and random! It'll keep your attention as you move from one fact to another.
- There is relevant vocab you can use right away which will motivate you to read more.
- No dictionary needed as the English translation is right next to it.

How to get the most out of this book

1. If you're not already an Audible member you can download the audiobook for FREE! Grab the audiobook and follow along to increase your comprehension skills. Try to listen a few times before you read to see how much you can pick up on and understand.

2. READ READ READ. It's rare that you learn a word by seeing it once. Come back to the book and read them over. Since you'll know what the book is about after the first read, you can focus on other concepts the second time round.

3. Listen and read at the same time so you can hear the pronunciation of each syllable while seeing how the word looks like. You'll also be less distracted with this method as you'll be fully immersed.

BONUS

Send us a screenshot or picture of a receipt of this book to French@FrenchHacking.com with the subject line as "BONUS" and we'll send you the Audio-book for free!

Follow us on Instagram @Frenchacking where we do daily posts on grammar, spelling, quotes, and much much more!

Table Of Contents

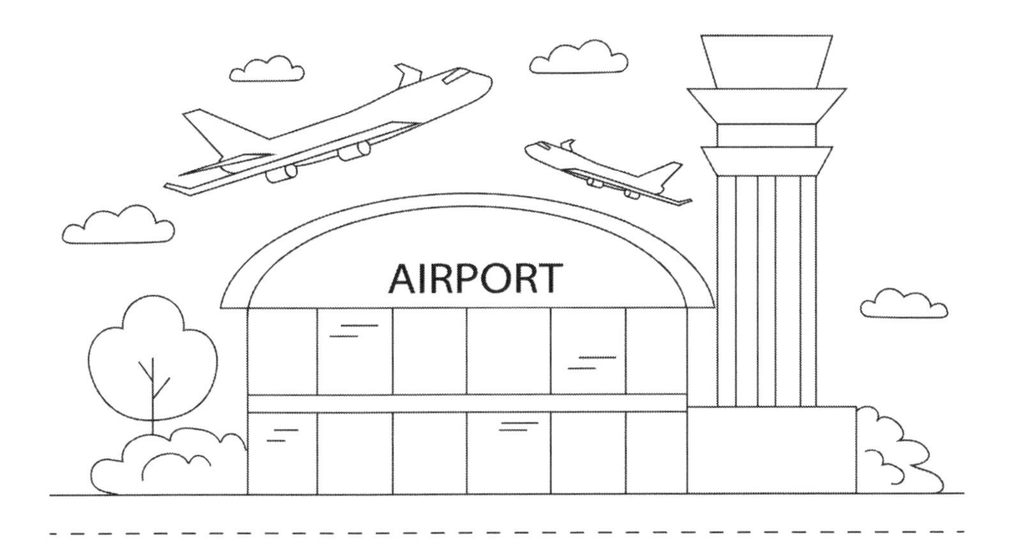

Avions et Aéroports

1. Les turbulences lors d'un vol sont imprévisibles. Il peut y en avoir même si le ciel est clair et dégagé.

2. Dans les années 30, les aéroports ont dû homogénéiser leurs noms sous forme de codes, les noms comportant donc uniquement deux lettres se sont vu ajouter un « X » final, et c'est pourquoi on retrouve des noms comme LAX.

3. Lors d'un atterrissage d'urgence, les avions ont la possibilité de se délester de leur carburant par les ailes afin d'éviter une explosion en cas d'accident.

4. Il est interdit d'être en possession de mercure lors d'un vol de transport de passagers car celui-ci peut endommager l'aluminium dont sont faits les avions.

5. Le tout premier vol commercial n'a duré que vingt-trois minutes et a coûté

Airplanes & Airports

1. Turbulence on an airplane cannot be predicted. It can occur even on a cloudless, clear day.

2. Airports had to standardize their names in the 1930's with airport codes, so those with two letter names simply added an "x", hence names such as LAX.

3. During an emergency landing, a plane has the ability to dump its fuel from the wings to prevent it from exploding if it crashes.

4. You're not allowed to take mercury onto a commercial passenger plane as it can damage the aluminum the plane is made out of.

5. The first commercial flight only lasted twenty three minutes and cost $8,500 in

l'équivalent de 8 500 dollars d'aujourd'hui. Il s'agissait d'un vol entre deux villes de Floride, St Petersburg et Tampa.

today's money. It was between St. Petersburg, Florida, and Tampa, Florida.

6. Il est possible de voir un arc-en-ciel former un cercle complet depuis un avion.

6. It's possible to see a rainbow as a complete circle from an airplane.

7. La technique de filtration utilisée dans les avions est la même technique de filtration de l'air utilisée dans les hôpitaux.

7. The filtration technology used in airplanes is the same technology they use to filter air in hospitals.

8. La réglementation à bord de la plupart des avions exige que le pilote et le copilote aient des repas différents. Simplement au cas où l'un des repas provoquerait une intoxication alimentaire.

8. The rules of most airlines require that the pilot and co-pilot of a plane eat different meals. This is just in case one of the meals causes food poisoning.

9. Pour moins cher qu'une Ferrari, vous pouvez vous offrir un Boeing 737 rénové.

9. For less than the cost of a Ferrari you can buy a renovated Boeing 737.

10. En moyenne, un Boeing 747 comporte 260 kilomètres (160 miles) de câbles.

10. The average Boeing 747 plane has 160 miles (260 kilometers) of wiring inside of it.

11. L'Antonov An-225 est l'avion le plus grand qui ait été construit, il fut initialement créé dans le but de transporter des avions spatiaux. Il pèse 285 tonnes et possède une envergure de 88 mètres (288 pieds). Il coûte 250 millions de dollars.

11. The Antonov An-225 is the largest aircraft ever made and was initially created for the task of transporting spaceplanes. It weighs 285 tons, has a wingspan of 288 feet (eighty-eight meters), and cost $250 million.

12. En 2014 en Chine, un homme a acheté un billet première classe avec la compagnie China Eastern Airlines, il s'est rendu à l'aéroport et et a mangé à l'oeil pendant presque un an dans le salon VIP de l'aéroport. Aussi incroyable que cela puisse paraître, il a annulé et réservé à nouveau son vol plus de 300 fois au cours de l'année puis a fini par annuler son vol pour de bon en demandant un remboursement lorsque la compagnie s'est rendu compte de la fraude.

12. In 2014, a man in China bought a first class ticket on China Eastern Airlines, went to the airport, and ate free food for almost an entire year in the VIP lounge. Astoundingly he cancelled and re-booked his flight an incredible 300 times over the course of the year and then cancelled his ticket for a full refund once the airline became wise of his scam.

13. La majorité des avions s'écrasent dans les trois minutes suivant le décollage ou bien dans les huit minutes avant l'atterrissage.

13. Most airplane crashes happen either three minutes after taking off or eight minutes before landing.

14. La vitesse moyenne d'un avion

14. The average speed of a commercial

commercial est de 485 nœuds, ce qui correspond à 900 kilomètres (560 miles) par heure.

airplane is 485 knots which is 560 miles (900 kilometers) per hour.

Faits Extraordinaires

15. En 1993, un Chinois du nom de Hu Songwen a été diagnostiqué en insuffisance rénale. En 1999, ne pouvant plus payer ses frais d'hôpitaux, il a fabriqué son propre dialyseur, qui lui a permis de rester en vie pendant treize années supplémentaires.

16. Le plus long trajet au monde qu'il est possible de faire en train parcourt plus de 17 000 kilomètres (10 000 miles), du Vietnam jusqu'au Portugal.

17. Le Refuge de Solvay est le refuge de montagne le plus dangereux à cause de son emplacement : il se trouve en Suisse, à 3 962 mètres (13 000 pieds) d'altitude au-dessus du vide.

18. Lors des Jeux olympiques de 1912, le coureur de marathon japonais Shizo Kanakuri a abandonné la course puis est rentré chez lui sans en avertir les autorités, il fut donc porté disparu en Suisse pendant

Amazing

15. In 1993, a Chinese man named Hu Songwen was diagnosed with kidney failure. In 1999, after no longer being able to afford the hospital bills, he built his own dialysis machine which kept him alive for another thirteen years.

16. The longest possible uninterrupted train ride in the world is over 10,000 miles (17,000 kilometers) long which goes from Vietnam to Portugal.

17. The Solvay Hut is the world's most dangerously placed mountain hut, located 13,000 feet (3,962 meters) above ground level in Switzerland.

18. At the 1912 Olympics, a Japanese marathon runner named Shizo Kanakuri quit and went home without telling officials and he was considered a missing person in Sweden for fifty years. In 1966, he was

cinquante ans. En 1966, il fut invité à finir sa course et il termina avec un record de cinquante-quatre ans, huit mois, six jours et cinq heures.

invited to complete the marathon, finishing with a total time of fifty four years, eight months six days, and five hours.

19. Carmen Dell'Orefice est la plus vieille femme du monde à faire du mannequinat. Elle a commencé à l'âge de quinze ans et est toujours mannequin aujourd'hui, à l'âge de quatre-vingt trois ans.

19. Carmen Dell'Orefice is the world's oldest working model. She started modelling at the age of fifteen and is still an active model to this day at the age of eighty three.

20. En 2005, un couple de Népalais a gravi l'Everest pour se marier au sommet.

20. In 2005, a Nepalese couple climbed Everest and got married on its peak.

21. En 1955, une statue bouddhiste en plâtre vieille de six cents ans est tombée au sol lors d'un déplacement, révélant ainsi que le plâtre recouvrait une autre statue bouddhiste en or massif.

21. In 1955, a six hundred year old plaster Buddhist statue was dropped when it was being moved locations only to reveal that the plaster was covering another Buddhist statue made of solid gold inside.

22. En 2011, des archéologues ont découvert les restes de squelettes d'un couple de Romains qui se tenaient la main depuis plus de 1 500 ans.

22. In 2011, archaeologists discovered the skeletal remains of a Roman couple who had been holding hands for over 1,500 years.

23. L'hôtel Shangri-La situé en Chine a enregistré le record de la plus grande piscine à balles jamais créée, elle mesure 25 x 13 mètres (82 x 4 pieds) et comporte plus d'un million de balles.

23. The Shangri-La Hotel in China captured a record for the largest ball pit ever created measuring eighty two by forty one feet (twenty five by thirteen meters) and contained over a million balls.

24. Le trait d'un crayon à mine de plomb ordinaire peut atteindre une longueur de cinquante-six kilomètres (trente-cinq miles).

24. The average led pencil can draw a line that will be thirty five miles (fifty six kilometers) long.

25. En 2011, les archéologues présents sur le site du World Trade Center à New York ont déterré la moitié d'un navire du 18ème siècle ; il aurait vraisemblablement appartenu à des marchands.

25. In 2011, archaeologists at the ground zero 9/11 terrorist attack site in New York City uncovered half of an 18th century ship; it's believed to have once been used by merchants.

26. En Finlande, une pierre immense appelée Kummakivi tient en parfait équilibre sur une roche convexe. Son nom signifie « la pierre étrange » car personne ne sait comment elle s'est retrouvée là.

26. In Finland, there is a giant rock named Kummakivi that is sitting perfectly on a seemingly curved mound. The name translates to "strange rock" since nobody knows how it got there.

27. À 16 ans, Jadav Payeng s'est mis à planter des arbres par peur que les animaux locaux voient leur habitat naturel disparaître. Il a continué pendant plus de trente-cinq ans. À ce jour, il a planté à lui seul plus de 1 360 hectares de forêt.

27. When Jadav Payeng was sixteen, he began planting trees since he was concerned for the disappearing habit for the local animals. He continued doing this for over thirty five years. Today he has single handedly restored more than 1,360 acres of forest.

28. Jordan Romero est l'homme le plus jeune à avoir jamais grimpé l'Everest, à l'âge de 13 ans.

28. The youngest person to ever climb Everest was young Jordan Romero at the age of thirteen.

29. Philani Dladla, un sans abri de Johannesburg en Afrique du Sud, est un véritable rat de bibliothèque de rue. Il survit en résumant des livres aux passants et s'ils sont intéressés par l'histoire, ils achètent le livre.

29. Philani Dladla is a homeless man from Johannesburg, South Africa, who's known as the pavement bookworm. He survives by reviewing books for people passing on the street and sells them the book if they like it.

30. Les cellules du cerveau humain, l'univers et Internet sont faits selon la même structure.

30. The human brain cell, the universe, and the Internet all have similar structures.

31. José Mujica, ancien président de l'Uruguay, est devenu le président le plus pauvre au monde après qu'il a donné la plupart de sa fortune à une organisation caritative.

31. Jose Mujica, a former president of Uruguay, was the poorest president in the world at the time as he gave away most of his income to charity.

32. Stephen Hawking a découvert à 21 ans qu'il était atteint de SLA et qu'il ne vivrait pas au-delà de 25 ans. Il est mort à 70 ans.

32. Stephen Hawking was diagnosed with ALS at twenty one and was expected to die at twenty five. He lived till seventy.

33. La plus vieille personne au monde encore en vie et dont l'âge a été vérifié est la Japonaise Misao Okawa, qui a 116 ans.

33. The oldest living person on Earth, whose age has been verified, is Japanese Misao Okawa, who is 116 years old.

34. L'organisme vivant le plus résistant est la bactérie gonorrhée qui peut porter jusqu'à 100 000 fois sa taille.

34. The most powerful organism is the Gonorrhea bacteria which can pull up to 100,000 times their size.

35. L'ancienne professeur de mathématiques de 63 ans, Joan Ginther, qui possède un doctorat en statistiques de l'Université de Stanford, a gagné au loto quatre fois en tout et a obtenu un total de 20,4 millions

35. Sixty three year old former math professor Joan Ginther, who has a PhD in statistics from Stanford University, has won the scratch and lottery four separate times for a grand total of $20.4 million. She

de dollars. Elle n'a jamais révélé son secret, mais les chances d'accomplir ce qu'elle a fait sont d'une sur dix-huit septillions.

36. Un couple de californiens, Helen et Les Brown, sont tous deux nés le 31 décembre 1918, ils ont été mariés pendant 75 ans puis sont morts en 2013 à un jour d'écart, à l'âge de 94 ans.

37. Barbara Soper, une femme de l'état du Michigan, a donné naissance le 08/08/08, le 09/09/09 et le 10/10/10, ce qui a une chance sur 50 millions de se produire.

38. Si l'on trouvait un moyen d'extraire l'or contenu dans le noyau de la Terre, on pourrait recouvrir la terre d'or et en avoir jusqu'aux genoux.

39. Lors de sa première année d'études en 1987, Mike Hayes a demandé à son ami qui travaillait au journal du Chicago Tribune de lui écrire un article demandant aux millions de lecteurs de faire un don d'un centime chacun jusqu'à l'obtention de son diplôme. En un instant, des dons de 1 centime, de 5 centimes et de plus grosses sommes sont parvenues du monde entier. Après avoir accumulé l'équivalent de 2,9 millions de centimes, il a financé ses études en Sciences de l'alimentation et a validé son diplôme.

40. Il existe un métal appelé « gallium » qui fond dans la main.

41. En 2010, un couple de Nigérians noirs vivant au Royaume-Uni a donné naissance à un bébé blond aux yeux bleus et à la peau blanche, ils l'ont surnommé « le bébé miracle. »

42. Dans les années 80, un homme que l'on connaissait uniquement par son prénom, George, souffrait d'un sévère trouble obsessionnel compulsif et s'est tiré

never revealed how she did it, but the odds of accomplishing what she did is one in eighteen septillion.

36. A California couple named Helen and Les Brown were both born on December 31, 1918, were married for seventy five years, and then died one day apart at the age of ninety four in 2013.

37. A woman from Michigan named Barbara Soper gave birth on 8/8/8, 9/9/9, and 10/10/10, the odds of which are fifty million to one.

38. If we somehow discovered a way to extract gold from the Earth's core, we would be able to cover all the land in gold up to our knees.

39. When he was a freshman in 1987, a man named Mike Hayes got a friend, who worked at the Chicago Tribune, to write him an article asking the millions who read it to donate one penny each towards his tuition. Immediately, pennies, nickels, and even larger donations came pouring in from all over the world. After accumulating the equivalent of 2.9 million pennies, he graduated and paid for his degree in Food Science.

40. There is a metal called "gallium" that melts in your hand.

41. In 2010, a black Nigerian couple living in the UK gave birth to a blond white baby with blue eyes that they called "the miracle baby."

42. In 1980's, a man known only as George, who had severe OCD, shot himself in the head in an attempt to commit suicide. Instead of the bullet killing him, it destroyed the part

une balle dans la tête dans le but de se donner la mort. Au lieu de lui ôter la vie, la balle a détruit la partie de son cerveau qui induisait le TOC et il a continué sa vie en obtenant de très bonnes notes à l'université cinq ans plus tard.

of the brain that was causing the OCD and he went on to get straight A's in college five years later.

43. Les véritables diamants sont imperceptibles aux rayons X.

43. Real diamonds don't show up in x-rays.

44. L'Australien Adam Rainer est, dans l'histoire de la médecine, le seul homme a avoir été catégorisé à la fois comme nain et géant au cours de sa vie. Le jour de ses 21 ans, il mesurait 1,17 m (3,8 ft) et fut classé dans la catégorie des nains ; mais à sa mort à 51 ans, il mesurait 2,34 m (7,6 ft), à la suite d'un pic de croissance.

44. Adam Rainer, an Australian man, is the only person in medical history to have been classified as both a dwarf and a giant in his lifetime. He stood at 3.8 feet (1.17 meters) on his twenty first birthday and he was classified as a dwarf; but by the time he died at the age of fifty one, he stood at seven feet and six inches (2.34 meters) tall due to a growth spurt.

45. En 1983, Cliff Young, un agriculteur de pommes de terre de 61 ans qui n'était pas un athlète, a remporté l'ultra marathon de 875 kilomètres (544 miles) de Sydney à Melbourne simplement en ne s'arrêtant pas pour dormir comme les autres coureurs.

45. In 1983, a sixty one year old potato farmer named Cliff Young, who was not an athlete, won the 544 mile (875 kilometer) Sydney to Melbourne Ultra Marathon simply because he ran while the other runners slept.

46. À 27 ans, Donald Trump possédait déjà 14 000 appartements.

46. By the time Donald Trump was twenty seven, he owned 14,000 apartments.

47. Dans les années 60, les États-Unis ont mené une expérience où deux personnes sans connaissances préalables dans le domaine du nucléaire devaient faire le plan d'une arme atomique en se référant uniquement à des ressources destinées au public. Ils ont réussi.

47. In the 1960's, the US did an experiment where two people without nuclear training had to design a nuke with only access to publicly available documents. They succeeded.

48. Stamatis Moraitis fut diagnostiqué d'un cancer, les médecins lui ont dit qu'il lui restait quelques mois à vivre. Dix ans plus tard et toujours en vie, il est allé rendre visite aux médecins pour leur dire qu'il était toujours de ce monde, mais il a appris que les médecins qui lui avaient fait le diagnostic étaient décédés. Stamatis a vécu jusqu'à

48. Stamatis Moraitis was diagnosed by doctors with cancer and was told he only had a couple of months to live. He was still alive ten years later and went back to tell the doctors that he was still alive only to find out that the doctors who diagnosed him had passed away. Stamatis lived until he was one hundred and two.

l'âge de 102 ans.

49. En 2013, Harrison Okene a survécu pendant 3 jours dans un navire immergé au fond de l'océan en trouvant une poche d'air.

49. In 2013, a man named Harrison Okene survived for three days at the bottom of the ocean in a sunken ship by finding a pocket of air.

50. Plus d'une centaine de personnes se sont présentées pour récupérer le second prix de la loterie Powerball en 2005. Ils ont été soupçonnés de fraude, mais c'est seulement plus tard qu'il s'est avéré que les gagnants avaient joué les nombres qu'ils avaient reçus dans un beignet chinois.

50. Over a hundred people drew for the second prize of the Powerball Lotto in 2005. It was suspected that cheating was going on, however, later it was discovered that the winners had simply used the same numbers they'd received in a fortune cookie.

51. À ce jour, plus de 150 personnes sont cryogénisées dans l'espoir qu'un jour la science saura les réveiller, il y a également plus de 1 000 personnes qui se sont inscrites pour être cryogénisées à leur mort.

51. There are more than 150 people cryofrozen right now in the hopes that one day the technology will be invented to revive them, with over 1,000 people registered to do the same upon their death.

52. Sur l'île de Sercq à Guernsey, située entre la France et l'Angleterre, se trouve la prison de Sercq qui est la plus petite au monde, elle ne peut accueillir que deux prisonniers.

52. Situated on Sark Island in Guernsey, an island between England and France, Sark Prison is the world's smallest prison which only fits two people.

53. En 2010, un homme s'est perdu dans les bois au nord de l'État du Saskatchewan et a coupé les lignes électriques pour attirer l'attention dans l'espoir qu'on viendrait le sauver. Ça a fonctionné.

53. In 2010, a man got lost in the woods of northern Saskatchewan and chopped down power lines just to draw attention to himself, in hopes that someone would rescue him. It worked.

54. L'homme ayant survécu le plus longtemps dans un radeau naufragé fut le Chinois Poon Lim en 1942, avec une durée de 133 jours. Il a survécu en pêchant, en buvant du sang d'oiseau et a même réussi à tuer un requin avec une carafe d'eau. Il est mort en 1991, à l'âge de 72 ans.

54. The longest that anyone has ever survived in a shipwrecked raft was 133 days by a Chinese man named Poon Lim in 1942. He survived by fishing, drinking bird blood, and even killing a shark with a jug of water. He lived to the age of seventy two, dying in 1991.

55. En Tunisie, il est possible de réserver une nuit dans la maison d'enfance de Luke Skywalker, pour 10 dollars. L'hôtel s'appelle « Sidi Driss. »

55. In Tunisia, you can book an overnight stay at Luke Skywalker's boyhood home, which is a real hotel called "Hotel Sidi Driss," for only $10.

56. En 2011, la famille des Coble ont

56. In 2011, the Coble family lost their

connu la perte de leurs trois enfants, deux filles et un garçon, dans un malheureux accident de voiture. Un an plus tard, la mère donna naissance à des triplés, deux filles et un garçon.

three children, two girls and a boy, in an unfortunate car accident. A year later the mother gave birth to triplets, two girls and one boy.

Animaux

57. En 2013, on a découvert que certains ours étaient accros à l'odeur du kérosène émanant des barils jetés. Ils en viennent même à suivre les hélicoptères pour les quelques gouttes de kérosène qu'ils perdent en vol.

58. Les humains ne sont pas la proie naturelle des requins blancs car leur digestion est trop lente pour pouvoir supporter autant de muscles, d'os et de gras.

59. Le Savannah est la race de chats domestiques la plus grande, semblable à un petit léopard au comportement canin. Ils peuvent peser jusqu'à 18 kg (40 livres) et faire un saut jusqu'à 2,4 mètres (8 pieds) de hauteur. Ils peuvent être habitués à la laisse et savent aller chercher une balle.

60. Au large des côtes brésiliennes, on trouve une île en plein océan Pacifique, appelée l'île aux Serpents. Il peut y avoir

Animals

57. In 2013, it was discovered that some bears in Russia have become addicted to sniffing jet fuel out of discarded barrels. They even go to the lengths of stalking helicopters for the drops of fuel that they leave behind.

58. Humans are not appropriate prey for great white sharks because their digestion is too slow to cope with the ratio of bone to muscle and fat.

59. The Savannah is the largest domestic breed of cats which resembles a small leopard but behaves like a dog. They can grow up to forty pounds (eighteen kilograms), have an eight foot (2.4 meter) vertical jump, and be trained to walk on a leash and play fetch.

60. There is an island off the coast of Brazil in the Atlantic Ocean known as Snake Island. There are up to five

jusqu'à cinq serpents par mètre carré (pied carré).

snakes per ten square feet (square meter).

61. Les flamants roses naissent avec une couleur grise mais obtiennent leur couleur rose grâce aux crevettes qu'ils mangent et qui colorent leurs plumes.

61. Flamingos are born grey but change to the pink color we see because of the shrimp they eat which dyes their feathers.

62. Le seul oiseau pouvant voler à reculons est le colibri.

62. The only bird that can fly backwards is the hummingbird.

63. Au quotidien, un géocoucou peut atteindre une vitesse de 32 kilomètres/heure (20 miles) et un coyote peut atteindre une vitesse de 69 kilomètres/heure (43 miles).

63. In real life, a roadrunner can only reach speeds of about twenty miles (thirty two kilometers) per hour while a coyote can reach speeds of up to forty three miles (sixty nine kilometers) per hour.

64. L'une des plus vieilles créatures ayant vécu sur Terre était probablement Adwaita, une tortue géante d'Inde qui aurait vécu plus de 255 ans avant de mourir en 2006.

64. One of the oldest living creatures on Earth was believed to be Adwaita, a giant tortoise from India who was believed to be 255 years old before passing away in 2006.

65. L'orque, aussi appelée épaulard, fait en fait partie de la famille des dauphins.

65. The "Orca," also known as the killer whale, belongs actually to the dolphin family.

66. Certains chats peuvent être leur propre jumeau. On les appelle les « chats chimères , » cette particularité est due à une fusion d'embryons.

66. It's possible for a cat to be its own fraternal twin. These cats, known as "Chimera cats," are an oddity that occur when two fertilized eggs fuse together.

67. Un tiers des ours polaires du monde se trouve au Canada.

67. One third of the world's polar bear population lives in Canada.

68. La transpiration des hippopotames est de couleur rouge car elle contient un pigment comportant une protection solaire naturelle.

68. Hippos sweat the color red because it contains a pigment that acts as a natural sunscreen.

69. Le méthane produit par les vaches pollue autant que les voitures.

69. Cows' methane creates just as much pollution as cars do.

70. Le cerveau des dauphins n'entre pas complètement en sommeil afin qu'ils soient toujours à moitié conscients, ce qui leur évite de se noyer involontairement.

70. Dolphins only fall asleep with half their brain at a time so they're only half conscious, which helps them from accidentally drowning.

71. Les escargots peuvent dormir pendant trois ans.

71. Snails can sleep for up to three years.

72. Un requin moyen possède quinze rangées de dents sur chaque mâchoire. Une dent tombée peut repousser en une journée ; ils peuvent perdre jusqu'à 30 000 dents au cours de leur vie.

72. The average shark has fifteen rows of teeth in each jaw. They can replace a tooth in a single day and lose over 30,000 teeth in their lifetime.

73. Certaines poules d'Indonésie sont entièrement noires, ce sont les Ayam Cemani. Leurs plumes sont noires, ainsi que leurs pattes et leurs griffes, le bec, la langue, la crête et le cou, la viande est également noire, et même leurs os et leurs organes.

73. There are completely black chickens in Indonesia known as Ayam Cemani. They have black plumage, black legs and nails, black beak and tongue, black comb and wattle, black meat and bones as well as dark organs.

74. L'île Christmas est une petite île australienne située dans l'océan Indien sur laquelle chaque année 50 millions de crabes adultes migrent de la forêt vers la plage pour se reproduire. On appelle ce phénomène la migration annuelle des crabes rouges.

74. Christmas Island is a small Australian island located in the Indian Ocean that every year sees fifty million adult crabs migrate from the forest to breed. It's known as the annual red crab migration.

75. Un flamant rose peut manger uniquement quand sa tête est penchée vers le bas.

75. A flamingo can only eat when its head is upside down.

76. Starbuck est un taureau canadien dont le génome fut si apprécié que son sperme s'est vendu à plus de 25 millions de dollars au cours de sa vie. Durant ces années, il fut le géniteur de plus de 200 000 veaux.

76. Starbuck is a famous Canadian bull whose genome is so desirable that his sperm has sold for over twenty five million dollars over his lifetime. In this time he has sired over 200,000 daughters.

77. Les girafes peuvent survivre sans eau plus longtemps que les chameaux.

77. Giraffes can last longer without water than camels can.

78. Les éléphants se déplacent constamment sur la pointe des pieds. Cela s'explique par le fait que leur talon ne possède pas d'os et est tout plat.

78. Elephants are constantly tip toeing around. This is because the back of their foot has no bone and is all fat.

79. Les pieuvres possèdent neuf cerveaux et trois cœurs, et leur sang est bleu.

79. An octopus has nine brains, blue blood, and three hearts.

80. Les poils des ours polaires sont en fait transparents, c'est la lumière qui leur confère un aspect blanc.

80. Polar bears hair is actually clear and it's the light they reflect that makes them appear to look white.

81. Un caméléon peut regarder dans deux directions opposées en même temps.

81. A chameleon can move its eyes two different directions at the same

time.

82. En une seule nuit, une taupe peut creuser un tunnel d'une longueur d'un kilomètre (300 pieds).

82. In one night, a mole can dig a tunnel 300 feet (one kilometer) long in soil.

83. On peut déterminer l'âge des poissons de la même manière que pour les arbres. Les écailles des poissons possèdent un anneau de croissance pour chaque année vécue.

83. The age of fish can be determined in a similar way to trees. Fish scales have one growth ring for each year of age.

84. Les girafes adultes possèdent seulement sept vertèbres dans le cou, comme les humains.

84. Fully grown giraffes only have seven vertebrae in their necks, the same number as humans.

85. En 2007, en Louisiane, un grand dauphin albinos de couleur rose a été découvert et photographié par Eric Rue.

85. In 2007, in Louisiana, a pink albino bottlenose dolphin was discovered and photographed by a man named Eric Rue.

86. Quand l'homme qui murmurait à l'oreille des éléphants, Lawrence Anthony, décéda en mars 2012, un troupeau entier d'éléphants est venu devant sa porte pour pleurer sa perte.

86. When the elephant whisperer Lawrence Anthony died in March of 2012, an entire herd of elephants arrived at his home to mourn him.

87. Les autruches ont des yeux plus gros que leur cerveau.

87. Ostriches have eyes bigger than their heads.

88. Si les guenons prenaient la pillule qu'on donne aux femmes, cela aurait le même effet sur elles.

88. If gorillas take human birth control pills, it will have the same effects on them.

89. Les koalas peuvent dormir jusqu'à 18 ou 20 heures par jour, alors qu'une girafe a seulement besoin de deux heures de sommeil.

89. Koalas can sleep up to eighteen to twenty two hours a day, whereas a giraffe only needs about two.

90. Les puces peuvent sauter plus de 80 fois plus haut que leur propre taille.

90. Fleas can jump over eighty times their own height.

91. Les scarabées rhinocéros peuvent porter jusqu'à 850 fois leur poids, ce qui correspond à notre échelle à un homme qui pourrait porter 65 tonnes.

91. Rhinoceros beetles can carry 850 times their weight, which is the equivalent of an average human carrying sixty five tons.

92. Le black mamba est considéré comme l'un des serpents les plus mortels au monde. Il peut se déplacer de 5,5 mètres (18 pieds)

92. The black mamba is regarded as one of the deadliest snakes in the world. It can move up to speeds of eighteen feet (5.5

en une seconde et sa morsure peut tuer un homme en moins d'une heure.

meters) per second and its bite can kill a human in less than an hour.

93. Les pics peuvent donner 20 coups de bec par seconde et entre 8 000 et 12 000 coups de bec par jour sans jamais avoir mal à la tête.

93. Woodpeckers are able to peck twenty times per second or around eight to 12,000 pecks per day without ever getting a headache.

94. Le chat de Pallas est la plus ancienne espèce de chat contemporain, il est apparu il y a 12 millions d'années.

94. The Pallas's cat is the oldest living species of modern cat that first appeared twelve million years ago.

95. Les loutres de mer se tiennent par les pattes avant quand elles dorment pour ne pas être séparées par le courant.

95. Sea otters hold hands when they sleep so they don't drift away from each other.

96. La plupart des chats n'aiment pas boire l'eau qui se trouve à proximité de leur nourriture. Mettez toujours l'eau de votre chat à un autre endroit si vous ne voulez pas qu'il se déshydrate.

96. Most cats don't like to drink water if it's too close to their food source. Always keep your cat's water and food supply separate so they don't get dehydrated.

97. Les méduses et les homards sont biologiquement immortels.

97. Jellyfish and lobsters are biologically immortal.

98. Le ouistiti pygmée est le plus petit singe au monde, il mesure seulement 13 centimètres (5 pouces) et pèse 100 grammes (3,5 onces).

98. The pygmy monkey marmoset is the smallest monkey in the world with an average length of only five inches (thirteen centimeters) and an average weight of 3.5 ounces (100 grams).

99. Les vaches ont aussi leurs meilleurs amis et sont stressées si elles en sont séparées.

99. Cows have best friends and can be stressed when separated from them.

100. Un bébé pieuvre peut être aussi petit que la pointe de votre doigt.

100. A baby octopus can be as small as your finger tip.

101. Le Grizzly peut hiberner pendant une durée de 7 mois et demi. Pendant ce temps, il ne mange pas, ne boit pas, et ne fait pas ses besoins.

101. Grizzly bears can hibernate up to 7½ months. This means no eating, drinking, urinating, or defecating.

102. Les chats ne miaulent pas entre eux, ils miaulent pour attirer l'attention des humains.

102. Cats don't meow to each other, they meow to get the attention of humans.

103. Les yeux des escargots peuvent repousser si leurs antennes sont coupées.

103. Snails have the ability to regrow an eye if it's cut off.

104. Les chats existent depuis 3 600 ans avant J.-C.

104. Cats have been around since 3600 B.C.

105. Les pingouins peuvent sauter hors de l'eau jusqu'à 1,8 m de hauteur (6 pieds) sans aucune aide.

105. A penguin has the ability to jump six feet (1.8 meters) out of the water with no aid.

106. Les ratels sont connus pour se nourrir de porc-épics et de serpents venimeux, ils dévorent les ruches d'abeille pour en retirer le miel, capturent les bébés guépards et volent la nourriture de lions affamés.

106. Honey badgers have been known to eat porcupines and poisonous snakes, raid bee hives for honey, kidnap baby cheetahs, and steal food from hungry lions.

107. Les paupières des castors sont transparentes de manière à ce qu'ils puissent voir sous l'eau.

107. Beaver eyelids are transparent so they can see through them as they swim underwater.

108. Les chats sont incapables de manger sucré.

108. Cats can't taste sweet food.

109. Les chats adultes n'ont pas assez de lactase pour digérer le lactose du lait, ils sont donc intolérants au lait.

109. Adult cats don't have enough lactase enzyme to digest the lactose from milk making them lactose intolerant.

110. Les carpes Koï peuvent vivre pendant des siècles. Le plus vieux Koï ayant vécu se nommait Hanako, il a vécu pendant 225 ans.

110. Koi fish can live for centuries. The oldest Koi to have ever lived was one named Hanako that lived for 225 years before it died.

111. Une baleine bleue peut ingérer jusqu'à 480 millions de calories en une seule gorgée.

111. A blue whale can consume 480 million calories of food in a single dive.

112. Tout comme les humains, les fourmis font la guerre et sont même capables d'établir des stratégies, en envoyant par exemple les fourmis les plus faibles au combat en premier.

112. Ants go to war just like humans and they can, in fact, strategize by doing things like sending out the weaker ants out to fight first.

113. L'orgasme du faux bourdon est si puissant que ses organes sexuels explosent quelques instants après, causant sa mort.

113. A male honeybee's orgasm is so powerful that its sex organs explode shortly after and hence it dies.

114. La langue d'une girafe mesure 21 cm (8 pouces).

114. A giraffe's tongue is eight inches (twenty one centimeters) long.

115. Il faudrait 1,2 millions de moustiques qui pompent en même temps pour vider entièrement un adulte de son sang.

115. It would take 1.2 million mosquitoes sucking once each to completely drain the blood in a human adult.

116. Les lions possèdent le rugissement le plus fort du règne animal, atteignant 114 décibels à une distance d'environ 1 m (3,2 pieds). On peut l'entendre à plus de 3 km (2 miles).

116. Lions have the loudest roar of any animal reaching 114 decibels at a distance of about 3.2 feet (one meter). It can be heard from over two miles (three kilometers) away.

117. Les paresseux peuvent vivre pendant une trentaine d'années et passent entre 15 et 18 heures par jour à dormir.

117. Sloths can live up to thirty years and spend fifteen to eighteen hours a day sleeping.

118. Quand la soie d'une araignée est stockée dans son corps, elle est sous forme liquide ; elle se rigidifie uniquement quand elle sort des glandes de l'araignée et entre en contact avec l'air.

118. When the silk of a spider is stored in its body, it's actually liquid; it only hardens and becomes solid when it leaves the spider's glands and comes into contact with the air.

119. Les moustiques ne nous piquent pas et ne nous prennent pas uniquement notre sang, ils urinent sur notre peau avant de repartir.

119. Mosquitoes don't just bite you and suck your blood, they urinate on you before flying off.

120. L'être humain possède le plus gros cerveau, proportionnellement à la taille de son corps. L'animal possédant le plus gros cerveau est le cachalot avec un poids de 7 kg (17 livres).

120. Humans have the largest brain in terms of brain to body ratio. The animal with the biggest brain overall is a sperm whale weighing in at seventeen pounds (seven kilograms).

121. Les artères de la baleine bleue sont si larges qu'un homme adulte pourrait s'y faufiler.

121. The arteries of a blue whale are so large that an adult human could crawl through it.

122. Le corps entier des crocodiles est blindé et peut résister aux balles, excepté son ventre et le dessus de son crâne.

122. Besides the crocodile's belly and top of its head, the rest of the skin is bulletproof.

123. Dans un zoo en Russie, un chimpanzé du nom de Zhora est devenu accro à l'alcool et à la cigarette suite à des visiteurs lui ayant donné des friandises alcoolisées et des cigarettes. En 2001, le chimpanzé a dû être envoyé en désintoxication pour être sevré de sa dépendance.

123. There's a chimpanzee in a Russian zoo named Zhora that became addicted to booze and smoking after too many visitors began giving him alcoholic treats and cigarettes. In 2001, the chimp actually had to be sent to rehab to be treated for his addictions.

124. En 2006, une espèce hybride née de l'accouplement d'une espèce de grizzli rare et d'un ours polaire fut confirmée au Canada et fut nommée « grolar » ou bien

124. In 2006, a rare grizzly and polar bear hybrid species was confirmed in Canada called "pizzly bears" or "grolar bears." Global warming is causing polar bears

« pizzly. » Le réchauffement climatique fait fondre l'habitat naturel des ours polaires qui migrent ainsi vers d'autres terres et finissent par s'accoupler avec des grizzlis.

habitats to melt so they find shelter elsewhere and end up mating with grizzlies.

125. Les crocodiles ne peuvent pas sortir la langue de leur bouche, ni mâcher.

125. Crocodiles cannot stick out their tongues or chew.

126. Pour boire, les girafes doivent écarter les pattes d'environ 2 m (6,5 pieds) afin d'atteindre l'eau.

126. In order to drink, giraffes have to spread their almost 6.5 feet (two meter) long legs apart just to get close enough to the water.

127. Les puces de lit survivent mieux dans les lits qui sont faits ; les scientifiques conseillent donc de ne pas faire son lit une fois de temps en temps, cela étant finalement bénéfique.

127. Bed bugs survive longer in beds that are made, so scientists actually suggest that you leave your bed unmade once in a while as it ends up being healthier for you.

128. Les tigres, les jaguars et les guépards sont attirés par l'odeur du parfum « Obsession » de Calvin Klein.

128. Tigers, jaguars, and cheetahs are attracted to the cologne "Obsession" by Calvin Klein.

129. Le chat le plus petit au monde était une chatte persan himalayen nommée Tinkertoy. À 7 ans, elle mesurait 7 cm (3 pouces) de hauteur et 19 cm (7 pouces) de longueur.

129. The smallest cat in the world was a Himalayan Persian cat named Tinkertoy. At seven years old, she measured three inches (seven centimeters) tall and seven inches (nineteen centimeters) long.

130. Le panda est l'emblème national de la Chine. On le rencontre à travers le pays et, si vous en voyez un dans un autre pays, c'est qu'il a été emprunté à la Chine.

130. Pandas are the national animals of China. They are also only found in this country, and if you happen to see one in another country, they're on loan there.

131. La mâchoire d'un grizzli est si puissante qu'elle pourrait briser une boule de bowling.

131. A grizzly bear's jaw strength is so powerful that it could crush a bowling bowl with it.

132. Le léopon est une race hybride produite par le croisement entre un léopard mâle et une lionne.

132. A leopon is a hybrid animal cross between a male leopard and a lioness.

133. Les embryons des requins-taureaux se battent à mort dans l'utérus de la mère jusqu'à ce qu'il n'y ait qu'un survivant, qui aura pour récompense sa naissance.

133. Sand tiger shark embryos fight each other to the death within the mother's womb until there's one survivor, which is the one that gets to be born.

134. Il y a un insecte qui s'appelle la « punaise assassine, » elle se sert du corps de sa proie comme d'un bouclier.

134. There is an insect called the "assassin bug" which wears its victim's corpse as armor.

135. Un chiot roux de la race du Dogue du Tibet s'est vendu à 12 millions de yuans, soit 2 millions de dollars, devenant ainsi le chien le plus cher du monde.

135. There was a golden haired Tibetan Mastiff puppy which sold for twelve million yuan, or two million dollars, making it the most expensive dog in the world.

136. Contrairement aux autres félins, les tigres adorent l'eau et nagent parfaitement bien. Ils se baignent souvent dans les rivières et les plans d'eau pour se rafraîchir.

136. Unlike many other members of the cat family, tigers actually enjoy water and can swim well. They often soak in streams or pools of water to cool off.

137. La peau d'un ratel est si épaisse qu'elle peut supporter des coups de machette, des tirs de flèches et des coups d'épées. Le seul moyen de le tuer à coup sûr est de se servir d'un gourdin ou d'une arme à feu.

137. The skin of a honey badger is so thick that it can withstand machete blows, arrows, and spears. The only sure way to kill one is by using a club or a gun.

138. Les dauphins ne boivent pas d'eau de mer car elle les rend malades et peut même les tuer. En fait, ils obtiennent toute l'eau dont ils ont besoin par la nourriture qu'ils ingèrent.

138. Dolphins don't drink seawater as it makes them ill or could even potentially kill them. Instead they get all their liquids from the food that they eat.

139. Au Japon, il existe une variété de frelons géants dont le venin est si puissant qu'il peut faire fondre la peau humaine.

139. There are giant hornets in Japan with venom so strong that it can melt human skin.

140. La langue d'une baleine bleue pèse aussi lourd qu'un éléphant, et son cœur pèse plus lourd qu'une voiture.

140. The tongue of a blue whale weighs more than an elephant, and its heart weighs more than a car.

141. Une cuillère à café de miel est le travail de la vie entière de 12 abeilles.

141. It takes twelve bees a lifetime of work to create a teaspoon of honey.

142. Il y a 50 000 ans en Australie vivait une espèce de canards de la taille d'un cheval, le « dromornithidae. »

142. There used to be horse sized ducks called "dromornithidae" roaming around present day Australia 50,000 years ago.

143. Les chameaux possèdent trois paupières qui les protègent des vents puissants du désert.

143. Camels have three eyelids that protects them from the rough winds in deserts.

144. Les yeux des ânes sont placés d'une telle manière qu'ils voient en permanence

144. Due to the placement of a donkey's eyes, it can see all four of its feet at all times.

leurs quatre pieds.

145. Les limaces possèdent des tentacules, des évents et des milliers de dents.

145. Slugs have tentacles, blowholes, and thousands of teeth.

146. Chez la mante religieuse, 25 % des actes sexuels conduisent à la mort du mâle car la femelle se met à lui arracher la tête.

146. In praying mantises, 25% of all sexual encounters result in the death of the male as the female begins by ripping the male's head off.

147. L'animal le plus solitaire au monde est une baleine mâle au nord de l'océan Pacifique qui ne trouve pas de partenaire à cause de sa manière de communiquer. Sa fréquence est sur un autre niveau et ne peut pas être entendue par les autres baleines.

147. The loneliest animal in the world is a male whale in the North Pacific which can't find a mate due to the way it communicates. The whale's frequency is on another level and can't be heard by other whales.

148. Certaines espèces de requins donnent naissance à des petits et d'autres pondent des œufs.

148. Depending on the species of sharks, they can either give birth to live young or lay eggs.

149. Un cafard peut vivre plusieurs semaines sans tête. Il finit simplement par mourir de faim.

149. A cockroach can live up to several weeks without its head. It only dies due to hunger.

150. Au Wisconsin, un homme a pris une photo de trois cerfs albinos dans les bois. Les chances que cela se produise sont d'une sur 79 milliards.

150. A man in Wisconsin took a photo containing three albino deer in the woods. The chances of this happening is one in seventy nine billion.

151. Un éléphant boit 130 litres (34 gallons) d'eau par jour.

151. An elephant drinks thirty four gallons (130 liters) of water a day.

152. Les mouffettes ont des muscles à proximité de leurs glandes olfactives qui leur permet d'asperger un liquide avec précision jusqu'à 3 m (10 pieds) de distance.

152. Skunks have muscles next to their scent glands that allow them to spray their fluids accurately up to ten feet (three meters) away.

153. Les gorilles peuvent dormir entre 12 et 14 heures par jour.

153. Gorillas are known to sleep up to twelve to fourteen hours a day.

154. Il existe 50 espèces différentes de kangourous.

154. There are fifty different types of kangaroos.

155. Entre les années 1600 et 1800, les homards étaient considérés comme des cafards de mer. On les donnait à manger aux prisonniers et aux serviteurs et on s'en

155. Between the 1600's and 1800's, lobsters were known as the cockroaches of the sea. They were fed to prisoners and servants and were used as fish bait.

servait d'appât pour la pêche.

156. Il y a une minuscule espèce d'antilopes qui s'appelle le dik-dik, en raison du cri qu'elles poussent quand elles se sentent menacées.

156. There is a super tiny species of antelope called the "Dick-Dick," named after the sound they make when alarmed.

157. Les termites sont actuellement l'objet de recherches pour des scientifiques de UConn et Caltech, car elles pourraient peut-être fournir une source d'énergie renouvelable. Elles peuvent produire jusqu'à 2 litres (un demi gallon) d'hydrogène en ingérant une seule feuille de papier, ce sont donc les bioréacteurs les plus efficaces sur Terre.

157. Termites are currently being researched by scientists at UConn and Caltech as possible renewable energy sources. They can produce up to half a gallon (two liters) of hydrogen by ingesting a single sheet of paper, making them one of the planet's most efficient bio-reactors.

158. Au Japon, il existe des cafés à hiboux où on peut jouer avec des hiboux tout en savourant une consommation.

158. In Japan, there are owl cafes where you can play with live owls while enjoying a drink or meal.

159. Les chats sont parmi les seuls animaux à s'être domestiqués seuls et qui viennent vers l'homme selon leur propre volonté.

159. Cats are one of the only animals that domesticate themselves and approach humans on their own terms.

160. Quand une fourmi meurt, elle sécrète une substance chimique qui pousse les autres fourmis à déplacer le corps vers une sorte de cimetière. Si cette substance touche une fourmi vivante, les autres fourmis la prendront pour morte, peu importe ce qu'elle fait.

160. When ants die, they secrete a chemical that tells other ants to move the body to a sort of burial ground. If this chemical is sprayed on a live ant, other ants will treat it as a dead ant, regardless of what it does.

161. En Australie, on rencontre l'araignée néphile, si grosse qu'elle peut manger des serpents de 50 cm (1,5 pieds).

161. Australia is home to the golden silk orb weave spiders, arachnids that are so big that they can eat entire foot and a half (half meter) long snakes.

162. En Utah, il y avait une chèvre géante nommée Freckles chez qui on a implanté un embryon contenant des gènes d'araignée et qu'on appelle la chèvre-araignée. Son lait contient des protéines de fil d'araignée dont on se sert pour fabriquer un fil plus solide encore que le Kevlar.

162. There was a goat in Utah named Freckles that was implanted with spider genes as an embryo that is now known as the Spider Goat. She produces spider silk proteins in her milk, which is used to make bio-steel, a material stronger than Kevlar.

163. Il y a un insecte que l'on appelle le

163. There is an insect called "the tree

« homard des arbres. » Il fait environ la taille d'une main. On le trouve seulement dans une région montagneuse contenant d'énormes quantités de débris d'un ancien volcan appelé la « pyramide de Ball » et qui se situe sur les côtes australiennes.

lobster" which is almost the size of a human hand. They can only be found in one place, on the huge mountainous remains of an old volcano called "Ball's Island" off the coast of Australia.

164. En 1987, dans un zoo à Belgrade, une chienne berger allemand nommée Gabby a un jour sauvé la vie d'un employé en combattant avec succès un jaguar en fuite. À la suite de cela, un monument fut édifié en son honneur.

164. In 1987, a German shepherd dog named Gabby, in a Belgrade Zoo, once saved a zoo employee by fighting and defeating an escaped jaguar. For this, a monument was erected in her honor.

165. Les pattes des pingouins sont en réalité plus longues qu'il n'y paraît. Elles semblent petites uniquement parce qu'elles sont couvertes de plumes.

165. Penguin's legs are actually longer than they appear. They only look short because of the amount of feathers covering them.

166. Le rat-taupe nu est l'un des seuls animaux à ne pas pouvoir avoir de cancer.

166. Naked mole rats are one of the only animals to not get cancer.

167. Les crocodiles n'ont pas de glandes sudoripares. Pour se rafraîchir, ils doivent garder la gueule ouverte.

167. Crocodiles don't have sweat glands. In order to cool themselves down, they keep their jaws open.

168. La digestion d'un paresseux dure deux semaines.

168. It takes a sloth two weeks to digest their food.

169. Les corbeaux ont la capacité de reconnaître les visages humains et peuvent même éprouver de la rancune envers ceux qu'ils n'aiment pas.

169. Crows have the ability to recognize human faces and even hold grudges against the ones they don't like.

170. Les jaguars à l'état sauvage sont souvent sous l'effet des racines hallucinogènes qu'ils mangent, ce qui accroît également leur flair pour la chasse.

170. Jaguars in the wild are known for frequently getting high eating hallucinogenic roots, which also increase their senses for hunting.

171. Les chiens de prairie se disent bonjour en s'embrassant.

171. Prairie dogs say hello with kisses.

172. La plus petite grenouille venimeuse mesure seulement 10 millimètres et sécrète par la peau un poison toxique qui est son moyen de défense.

172. The smallest poisonous frog is only ten millimeters in length and it secretes a toxic poison from its skin as a defense mechanism.

173. Un scorpion peut retenir sa respiration sous l'eau pendant six jours.

173. A scorpion can hold its breath underwater for up to six days.

174. Les oiseaux forment un V en vol pour économiser leurs forces face à la force du vent. Les oiseaux se relaient à l'avant et se placent à l'arrière quand ils sont épuisés.

174. The reason birds fly in a "V" formation is to save energy due to wind resistance. The birds take turns being in the front and fall to the back when they're tired.

175. Les pingouins peuvent retenir leur souffle pendant 20 minutes.

175. A penguin can hold its breath for twenty minutes.

176. La fourmi de type magnan peut pondre jusqu'à 3 ou 4 millions d'œufs tous les 25 jours.

176. The African driver ant can produce three to four million eggs every twenty five days.

177. Les ours bruns ont évolué en ours polaires il y a 150 000 ans, quelque part entre l'Angleterre et l'Irlande.

177. Polar bears evolved from brown bears somewhere in the vicinity of Britain and Ireland 150,000 years ago.

178. L'animal terrestre le plus rapide est le guépard, avec une vitesse record de 120 kilomètres (75 miles) par heure.

178. The fastest land animal is the cheetah which has a recorded speed of seventy five miles (120 kilometers) per hour.

179. Une méduse ne possède ni oreilles, ni yeux, ni nez, ni cerveau, ni cœur.

179. A jellyfish has no ears, eyes, nose, brain, or heart.

180. Si on laissait deux rats enfermés dans un espace suffisamment grand, ils pourraient se reproduire et atteindre un million d'individus en 18 mois.

180. If two rats were left alone in an enclosed area with enough room, they can multiply to a million within eighteen months.

181. Les crabes peuvent renouveler leurs pattes et leurs pinces à 95 % de leur taille initiale.

181. Crabs are able to regenerate their legs and claws to 95% of their original size.

182. Un chameau peut boire 200 litres (33 gallons) d'eau en 3 minutes.

182. A camel can drink fifty three gallons (200 liters) of water in three minutes.

183. Un coup de patte furtif d'une girafe peut tuer un lion.

183. One quick kick from a giraffe can kill a lion.

184. Les chiots mâles laissent les femelles gagner quand ils jouent, même s'ils sont physiquement plus costauds, afin qu'elles veuillent bien continuer à jouer avec eux.

184. Male puppies will let female puppies win when they play, even though they are physically more powerful, to encourage them to play more.

185. Une prison dans l'état de l'Indiana autorise les meurtriers à avoir des chats dans

185. An Indiana state prison allows murderers to adopt cats in their cells to

leur cellule pour leur apprendre à ressentir de l'amour et de la compassion envers les êtres vivants.

help teach them love and compassion for other living things.

186. Le paradoxe du singe savant est un théorème selon lequel un singe qui frapperait sur un clavier au hasard pendant une durée illimitée pourrait finir par écrire n'importe quel texte, y compris tous les travaux de William Shakespeare.

186. The infinite monkey theorem states that a monkey hitting keys at random on a typewriter for an infinite amount of time will eventually type out any given text, including the complete works of William Shakespeare.

187. Les cafards étaient sur Terre 120 millions d'années avant les dinosaures.

187. Cockroaches were here 120 million years before the dinosaurs.

188. L'animal domestique le plus populaire est le poisson rouge. Vient ensuite le chat, puis le chien.

188. The most popular animal for a pet is freshwater fish. Next comes the cat followed by the dog.

189. L'herbe à éléphant est une plante pouvant mesurer jusqu'à 3 m (10 pieds) et permet aux éléphants de se cacher.

189. Elephant grass can grow up to ten feet (three meters) tall that even elephants can hide in.

190. Un loup répondra par un hurlement si un être humain imite un hurlement.

190. A wolf will respond with a howl if a human imitates a howl.

191. Les babouins sauvages sont réputés pour capturer les chiots et les élever comme des animaux domestiques.

191. Baboons in the wild have been known to kidnap puppies and raise them as pets.

192. Les ours polaires ont la capacité unique d'ingérer et emmagasiner de grandes quantités de vitamines A. Cette quantité peut être tellement élevée que si vous mangiez le foie d'un ours polaire, vous risqueriez une hypervitaminose A, c'est à dire de vous empoisonner aux Vitamines A et d'en mourir.

192. Polar bears have the unique ability to ingest and store very high amounts of vitamin A. The amount is so high, that if you ate a polar bear's liver, it's likely that you could die from vitamin A poisoning, also known as hypervitaminosis A.

193. Le reptile le plus petit au monde est le Brookesia micra, il est si petit qu'il peut tenir sur la tête d'une allumette.

193. The smallest known reptile in the world is the Brookesia micra, which is so small it can stand on the head of a match.

194. À Moscou, des chiens errants ont appris à prendre les transports en commun de la périphérie jusqu'à la ville, ils vont chercher de la nourriture puis font le trajet inverse le soir.

194. In Moscow, stray dogs have learned to commute from the suburbs to the city, scavenge for food, then catch the train home in the evening.

195. Un orang-outan nommé Fu Manchu a réussi à s'échapper de son enclos plusieurs fois au zoo Henry Dorly dans le Nebraska. On a découvert qu'il se servait d'une clé qu'il avait fabriquée avec un fil de fer. Il a réussi à s'échapper plusieurs fois car à chaque fois que le gardien l'inspectait, il cachait la clé dans sa bouche.

195. There was an orangutan named Fu Manchu who was repeatedly able to escape from his cage at the Henry Doorly Zoo in Nebraska. It was found that he was using a key that he fashioned out of a piece of wire. The reason he was able to do it so many times and kept getting away with it was because every time the zookeeper's inspected him, he would hide the key in his mouth.

196. Les cochons sont physiquement incapables de regarder vers le ciel.

196. Pigs are physically incapable to look up into the sky.

197. Il existe plus de 1 200 espèces de chauve-souris dans le monde, et contrairement à la croyance populaire, elles ne sont pas aveugles. Elles chassent dans le noir en se servant de l'écholocalisation, ce qui veut dire qu'elles se servent des échos émanants des objets pour se déplacer.

197. There are over 1,200 different species of bats in the world, and contrary to popular belief, none of them are blind. Bats can hunt in the dark using echolocation, which means they use echoes of self-produced sounds bouncing off objects to help them navigate.

198. La plupart des chameaux d'Arabie Saoudite sont importés d'Australie.

198. Most of the camels in Saudi Arabia are imported from Australia.

199. La moitié des cochons existants sur la planète se trouvent en Chine.

199. China is home to half of the pig population on Earth.

200. On recense aujourd'hui 1,2 millions d'espèces, mais les scientifiques estiment que le nombre réel d'espèces avoisine les 8,7 millions. Cependant, avec les espèces en voie de disparition, il sera probablement impossible de connaître le nombre exact.

200. There are 1.2 million species documented in existence today, however, scientists estimate the number to be somewhere around 8.7 million. Due to extinction, however, we may never know the exact number.

201. Les plus grands tigres du monde se trouvent en Sibérie.

201. The largest tigers in the world live in Siberia.

202. Les sauterelles possèdent des oreilles sur les côtés de leur abdomen.

202. Grasshoppers have ears in the sides of their abdomen.

203. Chez les oiseaux, il y a seulement 3 % des espèces dont le mâle possède un pénis.

203. In only 3% of all the bird species, the male has a penis.

204. Au Moyen-Orient, il existe des loups miniatures qui pèse 6 kg (30 livres). Pour comparaison, les plus grands loups se

204. There are miniature wolves in the Middle East that only reach about thirty pounds (six kilograms). In comparison, the

trouvent au Canada, en Russie et en Alaska et peuvent peser jusqu'à 80 kg (175 livres).

largest wolves in the world found in Canada, Russia, and Alaska can reach up to 175 pounds (eighty kilograms).

205. Un chien nommé Faith est né sans pattes avant mais a appris à marcher sur ses pattes arrière. Le chien et son maître rendent visite aux patients des hôpitaux pour montrer que même un chien possédant un handicap lourd peut avoir une vie épanouissante.

205. There's a dog named Faith that was born with no front legs but learned to walk on its hind legs. The dog and its owner both travel to military hospitals to demonstrate that even a dog with a severe disability can live a full life.

206. Un chimpanzé de 34 ans nommé Kanzi sait faire du feu et faire cuire de la nourriture, mais il sait également se préparer une omelette.

206. There's a thirty four year old chimpanzee named Kanzi that not only knows how to start a fire and cook food, but knows how to make omelets for himself.

207. Aux Palaos, il existe un « lac aux méduses » dont les méduses sont inoffensives. Ces méduses dorées sont sans danger pour l'homme, on peut même nager avec elles.

207. There is a lake in the country of Palau called "Jellyfish Lake" where jellyfish have evolved without stingers. These golden jellyfish are completely harmless to humans and you can even swim with them.

208. En Nouvelle-Zélande en 1997, un mouton mérinos de 17 ans nommé Shrek s'est enfui et est resté caché dans une grotte pendant 7 ans. Quand on l'a enfin retrouvé en 2004, il n'avait pas été tondu depuis tellement longtemps qu'il avait accumulé 27 kg (60 livres) de laine, le nécessaire pour fabriquer 20 costumes.

208. In 1997, a seventeen year old Merino sheep named Shrek, in New Zealand, ran away and hid in a cave for seven years. When he was finally found in 2004, he had gone unsheared for so long that he had accumulated sixty pounds (twenty seven kilograms) of wool on his body, the equivalent to make twenty suits.

209. En 1945, Mike le poulet sans tête, était un poulet célèbre car l'agriculteur lui avait coupé la tête pour le manger mais le poulet est resté en vie pendant 18 mois de plus.

209. Mike, the Headless Chicken, was a famous chicken from 1945 that was beheaded by a farmer for his dinner but continued to live for another eighteen full months.

210. Les flamands roses plient leurs jambes au niveau de la cheville et non du genou. Ils sont souvent sur la pointe des pieds. Leurs genoux se situent au niveau de leur corps et sont dissimulés par leurs plumes.

210. Flamingos bend their legs at the ankle, not the knee. They essentially stand on tip-toe. Their knees are closer to the body and are covered by feathers.

211. Les paresseux peuvent retenir leur respiration plus longtemps que les dauphins.

211. Sloths can hold their breath longer than dolphins can. By slowing their heart

En ralentissant leur rythme cardiaque, ils peuvent retenir leur respiration pendant 40 minutes. Les dauphins ont besoin de remonter à la surface pour respirer toutes les 10 minutes.

rates, they can hold their breath for up to 40 minutes. Dolphins need to come up for air after about ten minutes.

212. Les homards goûtent avec leurs pieds. Les minuscules poils à l'intérieur des pinces des homards sont l'équivalent des papilles gustatives des humains.

212. Lobsters taste with their feet. The tiny bristles inside a lobster's little pincers are their equivalent to human taste buds.

213. Les « ManhattAnts » sont une espèce de fourmi unique à New York City. Des biologistes les ont découvertes dans un quartier de 14 blocks de la ville.

213. ManhattAnts are an ant species unique to New York City. Biologists found them in a specific 14-block strip of the city.

214. Les chiens sont bannis de l'Antarctique depuis avril 1994, car on craignait qu'ils transmettent des maladies aux phoques.

214. All dogs are banned from Antarctica since April 1994. This ban was made because of the concern that dogs might spread diseases to seals.

Art et Artistes

215. Un artiste hollandais a découvert le moyen de créer des nuages au milieu d'une pièce en recréant minutieusement l'humidité, la lumière et la température idéales. Il utilise beaucoup ce procédé dans son art.

216. La xylographie est un art qui consiste à graver du bois.

217. Le célèbre Léonard de Vinci adorait les animaux. Il était même végétarien et avait l'habitude d'acheter des oiseaux sur les marchés pour leur rendre la liberté.

218. Un artiste mexicain a créé une collection de sculptures sous-marines qui sert à la fois d'art visuel et de récif artificiel.

219. Il existe un procédé artistique qui permet de façonner des arbres vivants, ceux-ci sont manipulés afin de créer des formes artistiques.

Art & Artists

215. A Dutch artist discovered a way to create clouds in the middle of a room by carefully balancing humidity, lighting, and temperature. He uses this regularly in his artwork.

216. Xylography is the art of engraving on wood.

217. The well-known Leonardo da Vinci was a huge lover of animals. In fact, he was a vegetarian and was also known to buy birds from markets only to set them free.

218. A Mexican artist created an underwater sculpture series that double as art and an artificial reef.

219. There is a method of art called "tree shaping" where living trees are manipulated to create forms of art.

220. Le Singing tree est une structure sonore éolienne ressemblant à un arbre qui se trouve à Burnley en Angleterre. Il fut créé par les architectes Mike Tonkin et Anna Liu. Quand on s'assoit à son pied, on entend une mélodie qui varie selon le souffle du vent.

221. La Joconde ne possède pas de cils ni de sourcils.

222. En 1961, l'artiste italien Piero Manzoni a rempli 90 canettes de ses excréments, il a appelé ça « Merde d'artiste » et les a vendues au même prix que leur poids en or.

223. En Chine, il y a une statue de Bouddha qui mesure 71 m (233 pieds) qui fut construite il y a plus de 1200 ans.

224. Le célèbre peintre Salvador Dali avait trouvé un moyen de ne pas payer l'addition au restaurant en dessinant au dos de son chèque. Il savait que le propriétaire ne voudrait pas encaisser le chèque car le dessin aurait beaucoup de valeur.

225. Scott Wade est un artiste connu pour dessiner avec de la poussière sur les vitres sales de voitures, seulement à l'aide de ses doigts et d'un pinceau.

226. Dans la Curve Gallery du Barbican Center à Londres, il y a une pièce appelée « rain room » dans laquelle il pleut partout sauf là où vous mettez les pieds, grâce à des capteurs.

227. Au lieu d'utiliser des aérosols, certains artistes créent des images semi-permanentes sur les murs ou autres surfaces en enlevant la poussière qui s'y dépose. On appelle ça le « reverse graffiti » ou « clean tagging. »

228. Un artiste turc nommé Esref Armagan, qui est aveugle, a néanmoins appris à écrire et à peindre seul et fait cela depuis 35 ans.

220. The singing tree is a wind powered sound sculpture located in Burnley, England, and was designed by architects Mike Tonkin and Anna Liu. Each time you sit under it, you'll hear a melody played depending on the wind for that day.

221. The Mona Lisa has no eyelashes or eyebrows.

222. In 1961, Italian artist Piero Manzoni filled ninety tin cans of his own feces, called them "Artist's sh*t," and sold them according to their equivalent weight in gold.

223. In China, there is a 233 foot (seventy one meter) tall stone statue built of Buddha that was constructed over 1,200 years ago.

224. The famous painter Salvador Dali would avoid paying the bill at restaurants by drawing on the back of his checks. He knew the owner wouldn't want to cash the checks as the drawings would be too valuable.

225. There's an artist named Scott Wade who is famous for creating dust art on dirty cars using only his fingers and a brush.

226. In the Curve Gallery at the Barbican Center in London, there's something called "the rain room" where through the use of sensors, rain falls everywhere in the room except for where you're walking.

227. Instead of using spray cans, some artists create semi-permanent images on walls or other places by removing dirt from a surface. It's known as reverse graffiti or clean tagging.

228. There's a Turkish artist named Esref Armagan who is blind, yet taught himself to write and paint and has been doing so on his own for the last thirty five years.

229. Au Mexique, les artistes peintres, sculpteurs et les graphistes peuvent payer leurs taxes en faisant don de l'une de leurs œuvres au gouvernement.

229. In Mexico, artists like painters, sculptors, and graphic artists can pay their taxes by donating pieces of artwork that they create to the government.

230. En 2006, l'artiste Kim Graham et un groupe de 25 volontaires ont passé 15 jours à créer une poupée en papier mâché d'une taille de 3,7 m (12 pieds) en utilisant uniquement du papier recyclé non toxique.

230. In 2006, artist Kim Graham and a group of twenty five volunteers spent fifteen days using entirely non-toxic recycled paper products to create a twelve foot (3.7 meter) tall paper mache tree doll.

231. L'artiste Brian Lai a la capacité incroyable de pouvoir dessiner en négatif.

231. There's an artist named Brian Lai that has the unique ability to draw in negatives.

232. L'armée de terre cuite est une collection de plus de 8 000 soldats, wagons et chevaux faits d'argile. Il a fallu plus de 37 ans pour les fabriquer. Ils furent enterrés avec l'empereur 210 ans avant J.-C. dans l'objectif de le protéger dans sa vie après la mort.

232. The Terracotta Army is a collection of more than 8,000 clay soldiers, chariots, and horses that took around thirty seven years to make. They were buried with the Emperor in 210 B.C. with the purpose of protecting him in his afterlife.

233. Michel-Ange a écrit un poème clamant à quel point il détestait la chapelle Sixtine.

233. Michelangelo wrote a poem about how much he hated painting the Sistine Chapel.

234. 8 des 10 plus grandes statues au monde représentent Bouddha.

234. Eight of the ten largest statues in the world are of Buddhas.

Bizarre

235. Albert Einstein ne portait jamais de chaussettes.

236. À Londres, il y a des toilettes publiques faites de verre sur la surface intérieure uniquement, de manière à ce que l'on puisse regarder les passants sans qu'ils nous voient.

237. Il est possible d'embaucher un clown diabolique pour terrifier vos enfants pendant la semaine qui précède leur anniversaire. L'artiste Dominic Deville s'acharnera à suivre votre enfant et lui laissera des mots, textos et appels effrayants avant de s'en prendre à lui le jour de son anniversaire en lui écrasant son gâteau au visage.

238. Le record de la personne qui est restée le plus longtemps sans dormir est de 265 heures, détenu par un lycéen en 1964.

239. On peut aujourd'hui acheter des câlins et embaucher quelqu'un pour se faire

Bizarre

235. Albert Einstein never wore socks.

236. In London, there's a public toilet encased in a glass cube that's made entirely of one-way glass where you can see passersby, but they can't see you.

237. It's possible to hire an evil clown to terrorize your son or daughter for an entire week before their birthday. For a fee, artist Dominic Deville will increasingly pursue your child and leave scary notes, texts, and phone calls, and ultimately attack your child on their birthday by smashing a cake in their face.

238. The longest someone has stayed awake continuously is 265 hours, which was in 1964 by a high school student.

239. There are now snuggery services where you can hire someone to snuggle with

câliner pour 60 dollars de l'heure.

240. En Suisse, si l'on échoue au permis de conduire trois fois, il est obligatoire de consulter un psychologue pour déterminer la raison des échecs avant de pouvoir repasser le permis.

241. Au Japon, c'est un signe de bonne augure si un sumo fait pleurer votre bébé.

242. En Suisse, il est interdit de tirer la chasse après 22 heures. Parmi les choses bizarres interdites dans ce pays on trouve l'interdiction d'utiliser un tuyau d'arrosage à haute pression sur sa voiture, faire de la randonnée nu, ainsi que sortir son linge sale, tondre sa pelouse et aller au recyclage le dimanche. Il est en revanche obligatoire de payer une taxe si l'on possède un chien et d'avoir pour lui un animal de compagnie comme un cochon d'inde, un poisson rouge ou une perruche pour qu'il ne se sente pas seul.

243. À Jakarta en Indonésie, le spa « Bali Heritage Reflexology and Spa » pose des pythons sur le corps des clients comme soin de massage.

you for $60 per hour.

240. In Switzerland, if you fail your practical driver's license three times, you are required to consult an official psychologist to assess the reason for your previous failures before you're allowed to retake the exam.

241. In Japan, it's considered to be good luck if a sumo-wrestler makes your baby cry.

242. You are not allowed to flush the toilet after 10 pm in Switzerland. Other bizarre things you can't do in this country are using a high-pressure power hose on your car, hiking naked, hanging out laundry, cutting your grass or recycling on Sundays. Some random things you must do in this country are paying tax on your dog if you have one and have a buddy for pets such as guinea pigs, goldfish, and budgies so they have company.

243. There's a spa called "Bali Heritage Reflexology and Spa" in Jakarta, Indonesia, that uses pythons placed on a customer's body as a form of massage treatment.

Livres, Bandes Dessinées et Écrivains

244. Sir Arthur Conan Doyle, l'auteur de *Sherlock Holmes*, a aidé à sortir deux innocents de prison après avoir élucidé leur dossier prématurément clos.

245. Il existe des chaussures inspirées du *Magicien d'Oz* qui vous ramènent à votre domicile grâce à un système GPS si vous clipsez les talons. NB : l'auteur du roman a eu l'idée du nom « Oz » en regardant un dossier d'archives où étaient inscrites les lettres o-z.

246. L'Université d'Harvard possède trois livres confectionnés à partir de chair humaine.

247. L'Université de Yale possède une bibliothèque de livres et de manuscrits rares où il n'y a pas de fenêtre : les murs sont entièrement faits de marbre transparent qui protège les livres de la lumière directe du soleil.

Books, Comic Books & Writers

244. The creator of Sherlock Holmes, Sir Arthur Conan Doyle, helped to get two falsely accused men out of prison after solving their already closed cases.

245. There are Wizard of Oz-inspired shoes that get you home when clicking your heels together using a GPS system. Side note: the author of the novel created part of the name of the book when he was looking at a filing cabinet and saw the letters o-z.

246. There are three books in the Harvard University that are bound in human skin.

247. Yale has a rare book and manuscript library that has no windows, but instead it has walls made entirely of translucent marble that prevents the books from being exposed to direct sunlight.

248. J. K. Rowling a écrit le chapitre final du dernier livre d'*Harry Potter* en 1990, sept ans avant la sortie du premier livre.

248. Author J. K. Rowling wrote the final chapter of the last Harry Potter book in 1990, seven years before the release of the first book.

249. Le livre pour enfants *Where the Wild Things Are* avait pour titre initial *Where the Wild Horses Are*, cependant l'auteur et illustrateur Maurice Sendak a fini par changer le titre en se rendant compte qu'il ne savait pas dessiner les chevaux.

249. The children's book "Where the Wild Things Are" was originally titled "Where the Wild Horses Are," however, the author and illustrator Maurice Sendak ended up changing the name of it after he realized he had no idea how to draw horses.

250. Le livre qui s'est le plus vendu au monde est la Bible, avec 5 milliards d'exemplaires vendus.

250. The best selling book in history is the Bible with five billion copies in sales.

251. DC Comics a publié un univers parallèle dans lequel Bruce Wayne meurt au lieu de ses parents. Thomas Wayne devient donc Batman et Martha Wayne perd la tête et devient le Joker.

251. DC Comics published an alternate universe where Bruce Wayne dies instead of his parents. In it, Thomas Wayne becomes Batman and Martha Wayne goes crazy and becomes the Joker.

252. La première mention du nom « Wendy » est apparue dans *Peter Pan*. Ce nom était inconnu des registres avant la sortie du livre.

252. The first ever occurrence of the name "Wendy" was in Peter Pan. This name had never been registered before the book's publication.

253. Il existe un vieux livre datant de la Renaissance italienne, le *Voynich*, que personne ne sait lire.

253. There is an ancient book called "The Voynich" from the Italian Renaissance that no one can read.

254. Dans la Bible, le mot « Seigneur » apparaît 7 836 fois dans 6 668 versets.

254. The word "Lord" occurs 7,836 times in 6,668 verses in the Bible.

255. En 1983, Marvel a sorti une bande dessinée intitulée *Your Friendly Neighborhood Spider Ham*. Le personnage principal était un cochon araignée nommé Peter Porker.

255. In 1983, Marvel published a comic called "Your Friendly Neighborhood Spider Ham." The character was a spider pig named Peter Porker.

256. Il existe un livre intitulé *Everything Men know about Women* (*Tout ce que les hommes savent des femmes*) dont les 100 pages sont entièrement blanches.

256. There's a book that exists called "Everything Men know about Woman" that has 100 pages all of which are blank.

257. En 1975, le professeur Jack Hetherington de l'Université du Michigan a inscrit son chat comme co-auteur de l'essai

257. In 1975, Professor Jack Hetherington from Michigan State University added his cat as a co-author to a theoretical paper

théorique sur lequel il travaillait. Il a fait cela car, tout le long de son essai, il avait fait l'erreur d'utiliser « nous » et « notre » et n'avait pas envie d'apporter les corrections nécessaires.

258. Il existe un roman russe intitulé *Le dernier porteur de l'anneau* qui raconte l'histoire du Seigneur des anneaux à travers les yeux de Sauron.

259. Marvel Comics créa un jour un super héros nommé Thor, c'était une grenouille qui avait les mêmes pouvoirs que Thor, et qui fait partie d'une bande appelée les « Pet Avengers. »

260. La lettre « u » fut utilisée pour la première fois pour remplacer le pronom « you » par William Shakespeare dans sa comédie intitulée *Peines d'amour perdues*, vers 1595.

261. En 1996, DC et Marvel Comics ont sorti une collection mélangeant les genres, où Wolverine et Batman sont un seul et même personnage, appelé « Dark Claw » ou « Logan Wayne. »

262. Même si la Bible est disponible gratuitement dans de nombreux lieux saints, c'est le livre le plus volé au monde.

263. Dans la version originale de *La petite sirène* d'Hans Christian Anderson, Ariel n'épouse pas le prince. En fait, elle épouse quelqu'un d'autre et meurt.

264. Dans les versions initiales du *Petit chaperon rouge,* l'enfant mange sa propre grand-mère puis se fait manger par le loup après avoir couché avec lui.

265. Initialement, le manuscrit du *Seigneur des anneaux* était une longue saga, mais il a été divisé en trois livres pour que les éditeurs gagnent plus d'argent.

that he had been working on. He did this because he mistakenly used words like "we" and "our" in the paper and didn't feel like revising it.

258. There is a Russian published novel called the "Last Ringbearer" which retells the Lord of The Rings from the perspective of Sauron.

259. Marvel Comics once created a superhero named Thor who was a frog that had the power of Thor and is in a group called the "Pet Avengers."

260. The letter "u" was first used as a substitute for the word "you" by William Shakespeare in his comedy Love's Labour's Lost around 1595.

261. In 1996, DC and Marvel Comics published a crossover series where Wolverine and Batman were made into one character called "Dark Claw" or "Logan Wayne."

262. Although the Holy Bible is available for free at many places of worship, it is the most stolen book in the world.

263. In the original version of "The Little Mermaid" by Hans Christian Anderson, Ariel doesn't marry the prince. She actually marries someone else and she dies.

264. In the early versions of the "Little Red Riding Hood," the girl cannibalizes her own grandmother and then gets eaten by the wolf after getting into bed with him.

265. The original script of Lord of the Rings was one long saga, but it was split into three books for the publishers to make more money.

266. Le code d'Hammurabi est une table de lois babyloniennes très bien conservée qui date de 1772 avant J.-C. Il liste certaines lois progressistes pour l'époque, telles que le salaire minimum ou le droit d'être un homme libre. Il fut écrit longtemps avant la Bible.

266. The code of Hammurabi is a well preserved Babylonian law that dates all the way back to 1772 B.C. which had progressive laws in it such as minimum wage and the right to be a free man. It was written well before the Bible.

267. Dans le roman qui a inspiré le film de Forrest Gump, Forrest s'envole dans l'espace avec la NASA mais à son retour, il s'écrase sur une île recouverte de cannabis et réussit à survivre en gagnant aux échecs chaque jour contre le chef des cannibales.

267. In the novel Forrest Gump that the movie was based upon, Forrest goes into space with NASA but upon returning, he crash lands on an island full of cannibals and only manages to survive by beating the head cannibal every day at chess.

268. La journaliste Sara Bongiorni et sa famille ont essayé de vivre sans produits fabriqués en Chine pendant une année entière et ont trouvé cela quasi impossible. Ils ont raconté leur expérience dans un livre intitulé *Une Année sans made in China*.

268. Journalist Sara Bongiorni and her family attempted to live without Chinese-made goods for an entire year and found it almost impossible. They documented their experience in a book called "A year without 'made in China'."

269. Richard Klinkhamer, un auteur hollandais de romans policiers a écrit un livre douteux sur les septs manières de tuer sa femme, un an après la disparition de sa propre femme. Il est devenu célèbre et a passé les 10 années suivantes à donner des indices laissant penser qu'il l'avait tuée. On a découvert en 2000 que c'était bel et bien le cas lorsque le squelette de la défunte fut découvert à son ancien domicile.

269. Richard Klinkhamer, a Dutch crime writer, wrote a suspicious book on seven ways to kill your spouse, one year after his wife disappeared. He became a celebrity and spent the next decade hinting that he murdered her, and in 2000, it turned out that he really had after her skeleton was discovered at his former residence.

270. La raison pour laquelle le livre *Harry Potter et la Coupe de feu* est plus long que les trois premiers est qu'il y avait une incohérence au milieu du scénario, J.K. Rowling a donc dû réécrire certains passages.

270. The reason Harry Potter and the Goblet of Fire is longer than the first three books is because author J.K. Rowling made a plot hole half way through and had to go back and fix it.

271. L'Ancien Testament a été écrit sur une durée de 1000 ans alors que le Nouveau Testament a été écrit en 75 ans.

271. The Old Testament was written over the course of 1,000 years whereas the New Testament was written within seventy five years.

272. Avant la période de la Renaissance, les trois quarts des livres du monde étaient

272. Before the renaissance era, three quarters of all books in the world were in

chinois.

273. J.K. Rowling fut le premier écrivain à devenir milliardaire. Elle a aussi perdu son statut de milliardaire en faisant don de la plupart de sa fortune.

Chinese.

273. J.K. Rowling is the first author to reach billionaire status. She also holds the status of losing her billionaire status due to giving away most of her money.

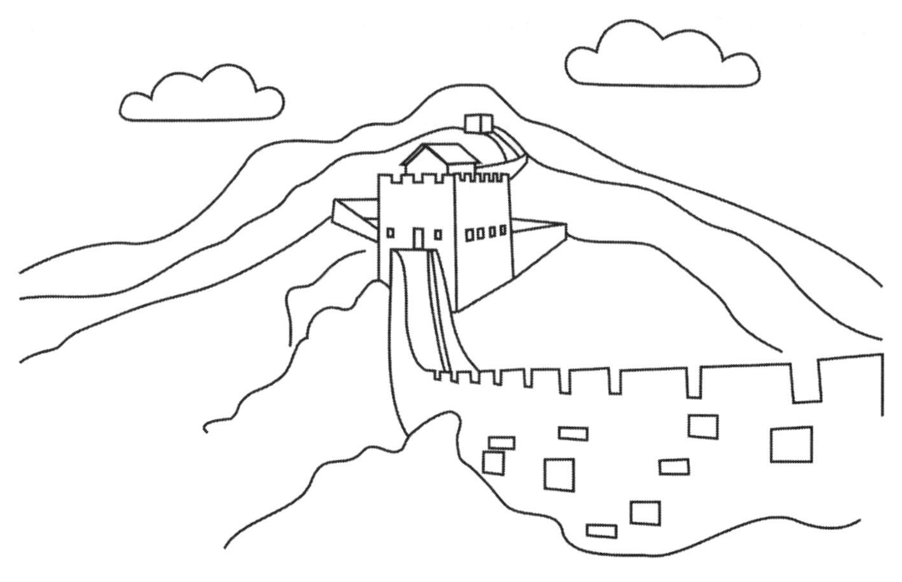

Bâtiments et Grands Monuments

274. Il aura fallu plus de 22 siècles pour construire la Grande Muraille de Chine. Elle fut construite et reconstruite de nombreuses fois puis agrandie par plusieurs dynasties impériales et royaumes. Le mur fait plus de 20 000 kilomètres (12 000 miles).

275. À Londres, il y a un bâtiment appelé le « Walkie Talkie » dont la forme reflète la lumière telle une loupe géante et a engendré la fonte des voitures qui se situaient juste en dessous.

276. Le Lego-Brücke est un pont en béton qui se trouve en Allemagne et qui est devenu célèbre car il a été peint de manière à ressembler à un pont géant fait à partir de briques Lego.

277. La plus grande maison dans les arbres se trouve au Tennessee, elle possède 10 étages et fait 900 m² (10 000 pieds carrés). Il a fallu 11 ans pour la construire mais elle

Buildings & Massive Monuments

274. It took over twenty two centuries to complete the Great Wall of China. It was built, rebuilt, and extended by many imperial dynasties and kingdoms. The wall exceeds 12,000 miles (20,000 kilometers).

275. There's a building in London called the "Walkie Talkie Building" that's shaped in such a way that it reflects sunlight like a giant magnifying glass, literally melting cars on the street below.

276. The Lego-Brucke is a concrete bridge in Germany that has become famous for being painted to look like a giant bridge made of Lego blocks.

277. The world's largest tree house is located in Tennessee and is ten stories, 10,000 square feet (900 square meters), took eleven years to make, but it cost only $12,000 since

a coûté seulement 12 000 dollars car elle est principalement faite de matériaux recyclés.

it was made of mostly recycled materials.

278. La Pyramide de Khéops fut fabriquée avec 2 millions de briques de pierres qui pesaient plus de 2 tonnes chacune. Il a fallu 85 ans pour la construire.

278. The Pyramid of Giza was built from two million stone bricks with stones weighing more than two tons each. It was built over the course of eighty five years.

279. Il existe un bâtiment de bureaux de 16 étages à Osaka au Japon, le « Gate Tower, » qui est traversé par une bretelle d'autoroute au niveau des cinquième, sixième et septième étages.

279. There is a sixteen story office building in Osaka, Japan, called "The Gate Tower Building" that has an entire highway that passes through the fifth, sixth, and seventh floors of the structure.

280. En 2014, Budapest a battu le record mondial du plus grand Lego jamais construit. Possédant plus de 45 000 briques colorées et surmonté d'un Rubik's cube hongrois imposant, la structure mesure 34 m (114 pieds) et se situe devant la Basilique Saint-Étienne de Pest.

280. In 2014, Budapest broke the world record for the tallest Lego tower ever built. Made of 450,000 colorful bricks, topped with a large Hungarian Rubik's cube, the structure stands at 114 feet (thirty four meters) tall in front of Saint Stephen's Basilica.

281. En 2013, le Vietnam a construit un pont en acier de la forme d'un dragon qui crache du feu par la gueule ; il s'appelle le « Dragon Bridge. »

281. In 2013, Vietnam unveiled a steel bridge that's shaped like a dragon that literally shoots fire out of its mouth; it's called the "Dragon Bridge."

282. Le plus grand abri anti-nucléaire privé se nomme « Ark Two. » C'est un bâtiment privé au nord de Toronto, appartenant à Bruce Beach qui en a commencé la construction dans les années 80. L'abri fait 929 m² (10 000 pieds carrés) et est composé de 42 bus scolaires, de béton, de générateurs internes, et possède sa propre chapelle, ainsi qu'une pièce de décontamination et une station radio.

282. The world's largest privately constructed nuclear fallout shelter is the "Ark Two." It began being built in the 1980's by Bruce Beach just north of Toronto. It's ten thousand square feet (929 square meters) and is composed of forty two school buses mixed with concrete, runs on internal generators, and has its own chapel, decontamination room, and radio station.

283. Même si la Tour Eiffel est stable avec ses quatre pieds, elle semble être instable. La structure de 320 m (900 pieds) peut tanguer si le vent est assez puissant et peut aussi gagner 178 mm si le soleil est brûlant.

283. Even though the Eiffel Tower is stable on its four legs, it is known to move. The 900 foot (320 meter) structure can sway if the wind is strong enough or expand seven inches if the sun is hot enough.

284. Le Burj Khalifa est le plus grand bâtiment au monde, il mesure 830 m (2 700

284. The Burj Khalifa is the tallest building in the world standing at 2,700 feet (830

pieds). La construction a commencé en 2004 et a duré 4 ans.

285. La construction de l'Empire State Building a nécessité 410 jours.

286. Avant sa démolition en 2012, 1 % de toute la population du Groenland vivait dans un bâtiment appelé le « Blok P. »

287. Le bâtiment le plus cher jamais créé est la Station Spatiale Internationale, qui a coûté 160 milliards de dollars, prix qui ne cesse d'augmenter à mesure que la station s'agrandit.

288. Sur la montagne Tianmen, en Chine, il y a une passerelle qui mesure 61 m (200 pieds) dont l'épaisseur du verre qui la constitue est de 2,5m (8,2 pieds). La passerelle est si haute que l'on peut observer les sommets des plus petites montagnes en dessous.

289. Le gratte-ciel « Intempo, » situé en Espagne, comporte 47 étages sans ascenseur.

290. Le premier bâtiment ayant possédé plus de 100 étages fut l'Empire State Building.

meters). Construction started in 2004 and took four years to complete.

285. It took 410 days for the Empire State Building to be made.

286. Until its demolition in 2012, 1% of Greenland's entire population lived in one apartment building called "Blok P."

287. The most expensive thing ever created is the International Space Station at a cost of $160 billion and rising as new sections are added.

288. There is a skywalk on Tianmen Mountain, in China, which is a 200 feet (sixty one meters) long with 8.2 feet (2.5 meter) thick glass. The bridge is so high up that it allows visitors to look down on the peaks of smaller mountains below.

289. The "Intempo" skyscraper in Spain has forty seven floors but no elevators.

290. The first building to have more than 100 floors was the Empire State Building.

Sympa

291. Chaque année en Thaïlande a lieu le festival traditionnel Loy Krathong, pendant lequel des milliers de lanternes sont lancées dans le ciel le soir venu.

292. Quand on a demandé à Stephen Hawking quel était son QI, il a répondu: « Je n'en ai aucune idée, mais les gens qui se vantent de leur QI sont des losers. »

293. Il existe un bateau de croisière nommé « Le Monde » sur lequel des résidents vivent à plein temps tout en faisant une croisière autour du monde. Un appartement sur le bateau coûte 2 millions de dollars, et il vous faudra débourser 270 000 dollars par an pour les frais de maintenance.

294. Niue, une île située au nord de la Nouvelle-Zélande a fait graver plusieurs Pokémons sur ses pièces de 1 dollar en 2001. Comme par exemple Pikachu, Carapuce, Miaouss, Bulbizarre, et Salamèche.

Cool

291. Thailand celebrates a festival each year named Loy Krathong where they release thousands upon thousands of sky lanterns filling up the night sky as tradition.

292. When Stephen Hawking was asked what his IQ was he responded: "I have no idea, but people who boast about their IQ are losers."

293. There is a cruise ship named "The World" where residents permanently live as it travels around the globe. An apartment on board costs $2 million while you fork out $270,000 a year for maintenance costs.

294. The country of Niue, an island north of New Zealand, put various Pokemon on its one dollar coins in 2001. They included Pikachu, Squirtle, Meowth, Bulbasaur, and Charmander.

295. Pendant des années, l'indien Rajesh Kumar Sharma a donné des cours aux enfants de rue vivant sous le pont d'un métro de la ville. Cinq jours par semaine et deux heures par jour, il termine sa journée à son emploi dans un commerce pour aller faire cours à plus de 140 enfants qui n'auraient rien appris sans lui.

295. For years, an Indian man named Rajesh Kumar Sharma has been teaching slum children who live under a local metro bridge. Five days a week for two hours a day, he leaves his job at the general store to teach over 140 kids who would otherwise not be able to learn.

296. La Chine est en train de construire une ville sans voitures appelée « The Great City » où pourront vivre 80 000 personnes. Elle utilisera 48 % d'énergie en moins, 58 % d'eau en moins et produira 89 % moins de déchets, ainsi que 60 % moins de dioxyde de carbone qu'une ville lambda de la même taille.

296. China is building a car free city called "The Great City" that will house 80,000 people. It'll use 48% less energy, 58% less water, produce 89% less landfill waste, and 60% less carbon dioxide than a conventional city of the same size.

297. Harris Rosen a réussi à devenir millionnaire par ses propres moyens et a choisi de créer un quartier appelé « Tangelo Park. » Harris a contribué à faire baisser le taux de criminalité de 50 % et à augmenter le taux de réussite scolaire de 20 à 100 % en proposant à chacun la garde d'enfants gratuite et des bourses d'études.

297. Harris Rosen was a self-made millionaire that decided to fund a small neighborhood named "Tangelo Park." Harris helped reduce the crime rate by over 50% and increased graduation for high school from 20% to 100% by giving everyone free child care and scholarships.

298. L'hôtel Burj Al Arab à Dubaï propose à ses invités un iPad en or 24 carats pour la durée de leur séjour.

298. The Burj Al Arab Hotel in Dubai offers their guests a twenty four karat gold iPad for the duration of their stay.

299. La société alimentaire Newman's Own a fait don de 100 % de ses profits après impôts à des organisations caritatives depuis 1982, pour un total de 400 millions de dollars.

299. Newman's Own Food has donated 100% of its post-tax profits to charity since 1982, totaling over $400 million.

300. Au Japon, l'hôtel « Tomamu Resort » se situe au sommet d'une montagne et permet aux clients d'observer une mer de nuages cotonneux.

300. There's a resort in Japan called the "Tomamu Resort" that's located on top of a mountain peak that allows patrons to view a sea of fluffy white clouds beneath them.

301. Au Royaume-Uni, les personnes fêtant leur 100ème anniversaire ou leur 60ème anniversaire de mariage reçoivent une carte écrite par la reine en personne.

301. In the UK, people that reach their 100th birthday or their 60th wedding anniversary are sent a personalized card from the Queen.

302. Chaque printemps, dans le quartier des spectacles à Montréal, la ville installe 21 balançoires près d'un arrêt de bus. Chacune d'entre elles émet le son d'un instrument de musique et quand les gens font de la balançoire, les sons préenregistrés sont joués.

302. Every spring a set of twenty one swings is set up near a bus stop in Montreal's entertainment district. Every one of them acts as a musical instrument and, as people swing, prerecorded sounds fill the air.

303. Le plus vieil hôtel au monde est le « Nishiyama Onsen Keiunkan » au Japon. Il a été construit en l'an 705 et a connu 52 générations de la même famille depuis sa construction.

303. The oldest hotel in the world is the "Nishiyama Onsen Keiunkan" in Japan. It was founded in 705 A.D. and has had fifty two generations of the same family operating it since it was founded.

304. À Singapour, il existe un distributeur qui donne une canette de Coca-Cola à chaque personne qui lui fait un câlin.

304. There's a vending machine in Singapore that dispenses a Coke to anybody that hugs it.

305. En Inde, il y a un spa dédié aux éléphants.

305. There is a spa in India that is dedicated for elephants.

306. Aux îles Fidji, il existe un hôtel nommé « Poseidon Resort » où on peut dormir au-dessus de l'océan pour 15 000 dollars la semaine et il y a même un bouton pour nourrir les poissons par la fenêtre.

306. There is a luxury hotel in Fiji called "Poseidon Resort" where, for $15,000 a week, you can sleep on the ocean floor and even get a button to feed the fish right outside your window.

307. Tim Harris est atteint de trisomie 21 et possède un restaurant à Albuquerque au Nouveau-Mexique qui s'appelle « Tim's Place. » Il propose des petits-déjeuners, des déjeuners et des câlins. C'est le seul restaurant dont le propriétaire est atteint de trisomie 21 et il est réputé comme étant le restaurant le plus convivial au monde.

307. There is man named Tim Harris with Down syndrome who owns and runs a restaurant in Albuquerque, New Mexico, called "Tim's Place," where they serve breakfast, lunch, and hugs. It's the only known restaurant owned by a person with Down syndrome and it's known as the world's friendliest restaurant.

308. L'Université Dalhousie d'Halifax, en Nouvelle-Écosse, a installé une pièce avec des chiots pour que les étudiants puissent s'amuser avec eux pour se détendre.

308. Dalhousie University in Halifax, Nova Scotia, has opened a puppy room where students can go play with puppies to relieve stress.

309. L'ancien milliardaire Chuck Feeney a fait don de 99 % de ses 6,3 milliards de dollars afin d'aider les enfants défavorisés à accéder aux études supérieures ; il lui reste à présent 2 millions de dollars.

309. Former billionaire Chuck Feeney has given away over 99% of his $6.3 billion to help underprivileged kids go to college resulting in him having $2 million left.

310. Chaque employé de Ben and Jerry's a

310. Every factory employee at Ben and

le droit de ramener près de 2 litres de glace chez lui par jour.

311. Alan Swift, un homme de 102 ans qui vivait dans le Connecticut, a conduit la même Rolls Royce Phantom 1 de 1928 pendant près de 77 ans avant de mourir en 2005.

312. En 2005, Johan Eliasch, un millionnaire Suédois, a acheté une parcelle de terrain de la moitié d'un demi-million d'acres dans la forêt amazonienne uniquement dans le but de sa sauvegarde.

313. Le plus grand parc aquatique couvert au monde est le Seagaia Ocean Dome au Japon, il mesure 300 m (900 pieds) de longueur et 100 m (328 pieds) de largeur.

314. En 2011, Barack Obama fut le premier président à avoir brassé de la bière dans la Maison Blanche ; la bière fut nommée « White House Honey Ale. »

315. En Finlande, quand on obtient son doctorat, on reçoit un chapeau qui ressemble à un haut-de-forme ainsi qu'une épée.

316. À Yoshkar-Ola, en Russie, l'école « Ordinary Miracle » ressemble à un château de conte de fée. Sergey Mamaev l'a construite pour sa femme qui voulait enseigner dans une école où les enfants auraient vraiment envie d'aller.

317. La petite poche dans la poche de votre jean était initialement pour la montre à gousset.

318. En mars 2013, un homme s'est fait tatouer le mot Netflix sur son flanc, la société lui a offert une année gratuite de films après qu'il a posté une photo du tatouage sur Twitter.

319. En Australie, à l'aquarium Croc-

Jerry's gets to take home three pints of ice cream every day.

311. A 102 year old man named Alan Swift, from Connecticut, drove the same 1928 Rolls Royce Phantom 1 for close to seventy seven years before he died in 2005.

312. In 2005, Johan Eliasch, a Swedish millionaire, bought a plot of land almost half a million acres big in the Amazon rainforest just so he could preserve it.

313. The largest indoor water park in the world is the Seagaia Ocean Dome in Japan at 900 feet (300 meters) long and 328 feet (100 meters) wide.

314. In 2011, Barack Obama became the first president to have ever brewed beer in the White House; the beer was named "White House Honey Ale."

315. In Finland, when you earn your PhD, you're given a doctoral hat that looks like a top hat as well as a doctoral sword.

316. There's a school called "Ordinary Miracle" in Yoshkar-Ola, Russia, that looks like a fairy-tale castle. A man named Sergey Mamaev had built it for his wife who wanted to teach at a school that children would actually want to go to.

317. The small pocket in your large pocket of your jeans was originally meant for your pocket watch.

318. In March 2013, a man got a tattoo of the word Netflix on his side for which, after tweeting a picture of it to the company, gave him a free year of service.

319. At the Crocosaurus Cove Aquarium in

osaurus Cove, il y a une attraction touristique populaire appelée « La cage de la mort » où on peut approcher de très près des crocodiles géants.

Australia, there's a popular tourist attraction called the "Cage of Death" which allows you to get up close and personal with giant crocodiles.

320. Il existe une compagnie de jouets canadienne qui s'appelle « Child's Own Studios » et qui crée des peluches à partir de dessins d'enfants.

320. There's a Canadian toy company called "Child's Own Studios" that turns children's drawing into stuffed animals.

321. Clocky est un réveil qui possède des roues et qui s'enfuit pour se cacher si vous ne vous levez pas à temps.

321. There's an alarm clock named Clocky that has wheels and runs away and hides if you don't get out of bed on time.

322. La Norvège propose aux étudiants du monde entier de venir étudier dans leurs universités publiques sans aucun frais.

322. Norway allows any student from anywhere in the world to study at their public universities completely free of charge.

323. Chaque année à Rome, les touristes jettent dans la fontaine de Trevi l'équivalent d'un million d'euros. La ville utilise cet argent pour créer un supermarché pour les plus démunis.

323. Tourists throw over a million euros into the Trevi Fountain in Rome each year. The city uses this money to fund a supermarket for the poor.

324. Un matelas spécial câlin a été inventé, il comporte un espace pour mettre son bras pendant qu'on se fait un câlin.

324. There's a mattress invented for cuddling that has a place to put your arm while you cuddle.

325. Henry Ford fut le premier géant industriel à donner le samedi et le dimanche comme jours de congés à ses employés, en espérant que la voiture serait utilisée pour les loisirs, rendant ainsi le concept de week-end populaire.

325. Henry Ford was the first industrial giant to give his workers both Saturday and Sunday off in hopes that it would encourage more leisure use of vehicles, hence popularizing the concept of the weekend.

326. Les Lamborghinis, Bentleys, et les Aston Martins sont toutes des voitures de police à Dubaï.

326. Lamborghinis, Bentleys, Aston Martins are all used as police cars in Dubai.

327. Au Brésil, la prison « Santa Rita Do Sapucai » offre aux prisonniers la possibilité de faire du vélo, alimentant la ligne électrique de la ville d'à côté et de voir leur peine révisée à la baisse. Pour 16h de vélo, ils passeront un jour de moins en prison.

327. The "Santa Rita Do Sapucai" prison in Brazil allows its inmates to pedal exercise bikes to power lights in a nearby town in exchange for reduced sentences. For every sixteen hours that they pedal, one day is reduced from their sentence.

328. En 2012, le Chinois Zao Phen a fait

328. In 2012, a man in China named Zao

coudre 9 999 roses rouges sur une robe pour sa compagne avant de la demander en mariage.

Phen had 9,999 red roses sewn into a dress for his girlfriend before asking for her hand in marriage.

329. À Amsterdam, il y a un bâtiment créé sur le modèle d'une boîte à chaussures, c'est un magasin Adidas.

329. There is a house sized shoe box in Amsterdam that is an Adidas store.

330. La Suède recycle si bien qu'elle doit importer des déchets de Norvège pour faire tourner ses centrales de gestion des déchets.

330. Sweden recycles so well that it actually has to import garbage from Norway in order to fuel its waste to power energy plants.

331. En Équateur, il existe une balançoire au bord d'une falaise qui ne comporte pas de mesures de sécurité. Elle est suspendue à un arbre surplombant un volcan actif, on l'appelle « La balançoire du bout du monde. »

331. There is a swing at the edge of a cliff in Ecuador that has no safety measures. It hangs from a tree house overlooking an active volcano called the "Swing at the End of the World."

332. Au Canada, en Colombie Britannique, il est possible de faire des études sur Batman, à l'Université de Victoria. Le justicier à la cape noire sert d'exemple pour démontrer la condition humaine et les limites du corps et de l'esprit humains.

332. In the University of Victoria in British Columbia, Canada, you can take a course in the science of Batman. It uses the caped crusader to explain the human condition and the limitations of the human mind and body.

333. En Sibérie, on peut aller aux toilettes à 2 591 (8 500 pieds) au-dessus de la mer, au sommet des Monts Altaï. Ils sont utilisés par les personnes travaillant dans une station météorologique reculée. Ce sont les toilettes où on se sent le plus seul au monde.

333. In Siberia, there's a toilet located 8,500 feet (2,591 meters) above sea level at the top of the Altai Mountains. It serves the workers of an isolated weather station and is known as the world's loneliest toilet.

334. Le jour de la rentrée, les enfants allemands, autrichiens et tchèques reçoivent un cône en carton rempli de jouets et de bonbons, on appelle ça le Schultüte.

334. On the first day of school, children in Germany, Austria, and the Czech Republic are given a cardboard cone filled with toys and sweets known as a Schultute.

335. La piscine intérieure la plus profonde du monde se trouve à Bruxelles en Belgique, elle se nomme « Nemo 33, » d'une profondeur de 32 m (108 pieds).

335. The deepest indoor pool is located in Brussels, Belgium, named "Nemo 33" at 108 feet (thirty two meters) deep.

336. Le WWOOF, ou Worldwide Opportunities on Organic Farms, est un programme international qui permet de voyager dans le monde en étant nourri et

336. The WWOOF, or the Worldwide Opportunities on Organic Farms, is an international program that allows you to travel the world with free food and

logé gratuitement en échange de bénévolat.

accommodations in exchange for volunteer work.

337. En 2007, une fille est née 34 minutes après son frère jumeau, mais à cause du changement d'heure saisonnier, elle est en fait née 26 minutes avant son frère.

337. In 2007, a twin was born thirty four minutes after her brother, but because of a daylight savings time adjustment, she was actually born twenty six minutes before her brother.

338. En 2013, une société du nom de « Limite Zéro » a créé une tyrolienne de 720 m (2 300 pieds) entre l'Espagne et le Portugal.

338. In 2013, a company called "Limite Zero" created a 2,300 foot (720 meter) international zip-line between Spain and Portugal.

339. On estime qu'il y a environ 3 millions de bateaux enfouis dans le sol océanique et qui possèdent des trésors valant des milliards de dollars.

339. It's estimated that there are approximately three million shipwrecks on the ocean floor worth billions of dollars in value and treasure.

340. Nintendo possède tellement d'argent qu'ils pourraient avoir un déficit de 250 millions de dollars par an et continuer à vivre normalement jusqu'en 2052.

340. Nintendo has banked so much money that they could run a deficit of $250 million every year and still survive until 2052.

341. Mark Zuckerberg a signé la campagne « Giving Pledge, » créée par Warren Buffet et Bill Gates, qui a pour but d'encourager les personnes riches à faire don d'une partie de leur revenu à des œuvres caritatives.

341. Mark Zuckerberg has signed the "Giving Pledge," a campaign created by Warren Buffet and Bill Gates which encourages wealthy people to contribute the majority of their wealth to philanthropic causes.

342. Une personne sur cinq est millionnaire à Singapour.

342. One in five people in Singapore is a millionaire.

343. En 1993, Dave Thomas, le fondateur de la chaîne Wendy's est retourné à l'école pour obtenir son diplôme des années après avoir abandonné, car il avait peur que ses enfants se disent qu'on peut réussir en abandonnant l'école.

343. In 1993, Dave Thomas, the founder of Wendy's, went back to high school to earn his GED decades after dropping out because he was worried kids may see his success as an excuse to also drop out of school.

344. L'Université technique de Munich a construit des diaporamas d'une hauteur de 4 étages pour inciter les étudiants à aller rapidement en cours au lieu de prendre les escaliers.

344. The Technical University of Munich built slides four stories high to help their students get to class quickly instead of them having to take the stairs.

345. La poste canadienne a assigné le code postal H, O, H, O, H, O, au Pôle Nord où chacun peut envoyer une lettre au Père Noël. Chaque année, plus d'un million de lettres sont envoyées au Père Noël, et elles obtiennent une réponse dans la langue de l'expéditeur.

346. Au Canada, l'eau du robinet est plus contrôlée que l'eau en bouteille.

345. The Canadian post office has assigned a postal code of H, O, H, O, H, O, to the North Pole where anyone can send a letter to Santa Claus. Every year more than one million letters are addressed to Santa Claus, each of which are answered in the same language they were written in.

346. Tap water in Canada is regulated to a higher standard than bottled water.

Villes et Pays

347. 85 % des Chinois se partagent 100 noms de famille, les noms « Li » et « Zhang » sont portés par 13 % de la population chinoise.

348. À Cuba, les autorités doivent aider toutes les personnes qui font du stop s'ils en croisent.

349. Le pays où les gens boivent le plus d'alcool est la Biélorussie avec 17,5 litres par personne et par an.

350. Taiwan est le premier pays au monde à offrir le Wi-Fi à tous les touristes, dans plus de 4 000 endroits sur l'île.

351. La distance entre l'Afrique et l'Europe est seulement de 23 kilomètres (14 miles). Certains envisagent de construire un pont entre les deux continents, qui s'appellerait « le tunnel de Gibraltar. »

352. Les États-Unis sont le pays comptant

Countries & Cities

347. 85% of Chinese share only 100 surnames and the surnames "Li" and "Zhang" cover 13% of the entire Chinese population.

348. In Cuba, it's legally mandated that government vehicles must pick up any hitchhikers that they see.

349. The heaviest drinkers in the world are in Belarus with 17.5 liters consumed per capita every year.

350. Taiwan has become the first country to offer free Wi-Fi to all tourists through over 4,000 hotspots all over the island.

351. The distance between Africa and Europe is only fourteen miles (twenty three kilometers). There are talks of constructing a bridge between the two continents called the "Strait of Gibraltar Crossing."

352. The country with the most

le plus de millionnaires au monde. Celui comptant le plus de milliardaires est la Chine.

millionaires is the US. The country with the most billionaires is China.

353. Aux îles Fidji, il y a une île en forme de cœur, elle s'appelle « Tavarua. »

353. There is an island shaped like a heart in Fiji called "Tavarua."

354. Aux Pays-Bas, le village de Giethoorn ne possède pas de routes, on peut seulement y aller en bateau, ce qui lui vaut le surnom « Venise des Pays-Bas. »

354. There's a village in the Netherlands named Giethoorn that has no roads and can only be accessed by boats, having the nickname "Venice of the Netherlands."

355. L'île Poveglia en Italie est considérée comme l'un des lieux les plus hantés au monde car ce fut un lieu de guerres, un lieu de dépôt de victimes de la peste ainsi qu'un asile psychiatrique. En fait, ce lieu est tellement hanté que le gouvernement italien en a interdit l'accès au public.

355. Poveglia Island, in Italy, is considered one of the most haunted places in the world as it was the site of wars, a dumping ground for plague victims, and an insane asylum. In fact, it's so haunted that the Italian government has forbidden public access to it.

356. La France est le seul pays d'Europe à être entièrement indépendant en production d'alimentation première.

356. France is the only country in Europe to be completely self-sufficient in basic food production.

357. Au Turkménistan, l'eau, le gaz et l'électricité ne sont plus fournis par le gouvernement depuis 1993.

357. In the country of Turkilometersenistan, water, gas, and electricity have all been free from the government since 1993.

358. L'Angleterre est plus petite que l'État de Floride de 26 000 kilomètres carrés (10 000 miles carrés).

358. The whole country of England is smaller than the state of Florida by over 10,000 square miles (26,000 square kilometers).

359. Il n'a neigé qu'une seule fois à Cuba, le 12 mars 1857.

359. It has only snowed in Cuba once way back in March 12, 1857.

360. Il y a 158 vers dans l'hymne national grec, c'est donc l'hymne le plus long au monde. En comparaison, l'hymne canadien n'en possède que quatre.

360. There are 158 verses in the national anthem of Greece making it the longest in the world. In comparison, the Canadian anthem only has four verses.

361. En Islande, si vous voulez donner à votre bébé un nom qui n'a jamais été donné, il faut se rendre au Comité des noms d'Islande.

361. In Iceland, if you want to give your baby a name that's never been used before, you must go to the Icelandic Naming Committee.

362. Dans l'État du Michigan, dans la

362. In the city of Mackinac Island,

ville de Mackinac Island, tous les véhicules motorisés, y compris les voitures, sont interdits depuis 1898.

Michigan, all motor vehicles including cars have been banned since 1898.

363. D'un point de vue géographique, la Chine possède cinq fuseaux horaires différents, cependant, le pays a adopté un seul fuseau horaire pour tout le pays.

363. Geographically, China covers five different times zones, however, only one standard time zone within the country is used.

364. Les Norvégiens payent seulement la moitié de leurs impôts en novembre afin d'avoir plus d'argent pour Noël.

364. Citizens of Norway only pay half their taxes in November so they can have more money for Christmas.

365. L'état d'Illinois a interdit l'usage des exfoliants pour le visage à cause des microbilles de plastique si petites qu'elles passent à travers les filtres de la station d'épuration et se retrouvent dans l'eau du robinet.

365. The state of Illinois has banned exfoliating face washes because the microbeads in them are so small that they actually slip through the water treatment facilities and end up back in the water supply.

366. Le ministère des Affaires maritimes et de la Pêche d'Indonésie a établi qu'une seule raie manta capturée et tuée vaut entre 40 et 500 dollars. Cependant, ils ont aussi établi qu'en les laissant en vie, elles valent plus d'un million de dollars grâce au tourisme qu'elles génèrent, ils ont donc créé le plus grand sanctuaire de raies manta au monde.

366. The Indonesian Ministry of Marine Affairs and Fisheries determined that a single manta ray, if caught and killed, is worth anywhere from $40-$500. They also determined, however, that if kept alive, they're worth up to a million dollars in tourism revenue so they created the largest manta ray sanctuary in the world.

367. La rue la plus longue au monde est Yonge Street au Canada, elle mesure 1 896 kilomètres (1 178 miles).

367. The longest street in the world is Yonge Street in Canada which is 1,178 miles (1,896 kilometers) long.

368. Il n'y a aucune explication quant au fait qu'il n'y ait pas de moustiques en Islande.

368. There is no explanation why there are no mosquitoes in Iceland.

369. Cuba possède le meilleur ratio médecin/patient au monde.

369. Cuba has the highest doctor to patient ratio in the world.

370. Le taux de divorce le plus élevé au monde se trouve au Luxembourg avec 87 %. Le plus bas est en Inde avec 1 %.

370. The highest divorce rate in the world by country is Luxembourg at 87%. The lowest is India with 1%.

371. Au niveau du territoire, le Canada fait seulement 2 % de moins que l'Europe.

371. By land mass, Canada is only 2% smaller than Europe.

372. 99,8 % des Cubains savent lire et

372. 99.8% of Cubans can read and write

écrire, ce qui fait de Cuba l'un des pays les plus instruits au monde.

making it one of the most literate countries in the world.

373. L'Indonésie comprend plus de 17 000 îles.

373. Indonesia has more than 17,000 islands.

374. Il y a plus de végétariens en Inde que dans n'importe quel autre pays.

374. There are more vegetarians in India than in any other country.

375. Si votre avion quitte Tokyo à 7 heures, vous arriverez à Honolulu vers 20 heures, le jour précédent, à cause des 19 heures de décalage horaire.

375. If you left Tokyo by plane at 7am, you would arrive at Honolulu at approximately 8pm the previous day due to the nineteen hour difference in time zone.

376. Le pays qui possède la plus longue côte au monde est le Canada.

376. The country with the longest coastline on Earth is Canada.

377. Le premier pays où une femme a pu voter est la Nouvelle-Zélande, en 1893.

377. The first country where a woman was allowed to vote was New Zealand in 1893.

378. En 2013, Google a envoyé un employé seul sur une île japonaise abandonnée, « Gunkjima, » pour la cartographier pour Google Street View. L'île était autrefois l'île la plus peuplée du monde, elle est à présent entièrement abandonnée.

378. In 2013, Google sent a lone employee to an abandoned Japanese island called "Gunkjima" to map it for Google Street View. The island was once the most densely populated island in the world, but it's now completely abandoned.

379. La Suisse possède assez d'abris anti-nucléaire pour héberger 114 % de sa population. Il est obligatoire en Suisse de posséder un lieu sécurisé proche de son domicile.

379. Switzerland has enough nuclear shelters to accommodate 114% of its population. It's a legal requirement for the Swiss to have a protected place that can be reached quickly from their place of residence.

380. En Arabie Saoudite, il n'y a pas de rivières.

380. There are zero rivers in Saudi Arabia.

381. Sur chaque continent, on trouve une ville qui s'appelle « Rome. »

381. There is a city called "Rome" in each continent.

382. En Égypte, les acteurs n'étaient autrefois pas autorisés à témoigner devant le tribunal car ils étaient considérés comme menteurs professionnels.

382. In Egypt, actors were once not allowed to testify in court as they were seen as professional liars.

383. L'Islande ne possède pas d'armée et fut reconnue comme le pays le plus pacifiste au monde ces six dernières années.

383. Iceland has no army and has been recognized as the most peaceful country in the world for the last six

En comparaison, le Royaume-Uni est en 44ème position et les États-Unis prennent la 100ème place.

years. In comparison, the UK is forty four, and the US sits at 100.

384. Plus de 90 % de la population australienne vit dans un rayon de 50 kilomètres d'une côte.

384. Over 90% of the Australian population live within fifty kilometers of its coastline.

385. Dans l'État du Nevada, l'ivresse sur la voie publique est explicitement légale, en revanche aucune ville ou village ne peut voter une loi proclamant que c'est illégal.

385. In the state of Nevada, public intoxication is not only explicitly legal, but it's illegal for any city or town to pass a law making it illegal.

386. À Churchill Manitoba au Canada, il est illégal de verrouiller sa voiture au cas où quelqu'un aurait besoin de s'y cacher pour éviter l'un des 900 ours polaires de la région.

386. In Churchill Manitoba, Canada, it's illegal to lock your car in case someone needs to hide from one of the 900 polar bears in the area.

387. Au Japon, l'île d'Okinawa est considérée comme le pays le plus sain au monde, plus de 400 y sont centenaires.

387. The Okinawa Island in Japan has over four hundred people living above the age of 100 and it's known as the healthiest place on Earth.

388. L'Allemagne fut le premier pays à établir un lien entre le fait de fumer et le cancer du poumon. Hitler fut même l'un des premiers à promouvoir la campagne anti-tabac.

388. Germany was the first country to realize the link between smoking and lung cancer. Hitler was even one of the first ones to lead the anti-smoking campaign.

389. L'île Luzon aux Philippines abrite un lac qui comprend une île où se trouve un lac sur lequel il y a une île.

389. The Philippine island of Luzon contains a lake that contains an island that contains a lake that contains another island.

390. Les plaques d'immatriculation des États canadiens du nord-ouest ont la forme d'ours polaires.

390. License plates in the Canadian Northwest territories are shaped like polar bears.

391. Le plus grand cimetière au monde est le cimetière Wadi Al-Salaam en Irak. Il fait 6 kilomètres (2 miles) carrés et il est si grand qu'il est impossible de savoir combien il y a de corps. Il y en aurait des millions, et chaque année, plus d'un demi-million sont ajoutés.

391. The largest cemetery in the world is the Wadi Al-Salaam Cemetery located in Iraq. It's two miles (six kilometers) squared and it's so big that it's unknown how many bodies are in there. It's estimated to be in the millions and half a million more get added each year.

392. En Irak, il y a une nappe de gaz naturel appelée « feu éternel » qui brûle en continu

392. There's a natural gas vent in Iraq known as the Eternal Fire that's been

depuis plus de 4000 ans.

393. Aux Émirats Arabes Unis, il y a une ville en construction qui fonctionnera entièrement à l'aide de sources d'énergie renouvelable et qui ne produira aucun déchet.

394. L'Éthiopie est actuellement en l'an 2006, car leur année est de 13 mois.

395. La ville de New York a payé 5 millions de dollars en 1853 pour le terrain de Central Park, qui vaut aujourd'hui 530 milliards de dollars.

396. Pékin est tellement polluée qu'il existe un terme spécial : « la toux de Pékin. »

397. Près d'un dixième des Chinois possèdent le nom de famille « Wang, » terme qui signifie « roi. »

398. Le territoire de la Russie est 1,8 fois plus grand que celui des États-Unis.

399. Si la ville de New York était un pays et que le NYPD était son armée, ce serait la 20ème armée la mieux équipée au monde, juste derrière la Grèce et avant la Corée du Nord.

400. En Corée du Nord, nous sommes actuellement en l'an 109 car le calendrier est basé sur la naissance de Kim II-Sung, le fondateur de la Corée du Nord.

401. En Chine, 30 millions de personnes vivent encore dans des grottes.

402. Au Danemark, « Fartkontrol » signifie contrôle de vitesse.

403. La ville du Vatican possède le seul distributeur de billets au monde à donner les consignes en latin.

burning for over 4,000 years.

393. There is a city being created in the Arab Emirates right now that will be entirely reliant on renewable energy sources with a zero waste ecology.

394. Ethiopia is currently in the year 2006 because it has thirteen months in its year.

395. The City of New York paid $5 million in 1853 for the land that is Central Park, which is now worth $530 billion.

396. The pollution in Beijing is so bad they have come up with a term called the "Beijing Cough."

397. Almost a tenth of all Chinese have the last name "Wang" which translates to king.

398. Russia has 1.8 times the landmass of the US.

399. If New York City was its own country and the NYPD was its army, it would be the 20th best funded army in the world just behind Greece and ahead of North Korea.

400. In North Korea, it is currently the year 109 because their calendar is based on the birth of Kim Il-Sung, the founder of North Korea.

401. There are still thirty million people living in caves in China.

402. In Denmark, "Fartkontrol" means speed check.

403. The Vatican City is home to the world's only ATM that gives instructions in Latin.

404. La France fut le premier pays à initier la plaque d'immatriculation, le 14 août 1893.

404. France was the first country to introduce the registration plate on August 14, 1893.

405. La plus grande île au monde est le Groenland, étant donné que l'Australie est un continent.

405. The biggest island in the world is Greenland as Australia is a continent.

406. La Chine est le pays le plus polluant au monde, produisant 30 % de la pollution mondiale. Cela est dû à la production de charbon, de pétrole et de gaz naturel.

406. China produces the most pollution in the world contributing 30% of all the countries total. These come from coal, oil, and natural gases.

407. La ville la plus visitée au monde est Bangkok, avec 20 millions de touristes en 2018, suivi de Londres puis de Paris.

407. The most visited city in the world is Bangkok, with twenty million people in 2018, followed by London and Paris.

408. Le pays le plus petit au monde est le Vatican, qui fait seulement 0,44 kilomètres carrés (0,22 miles carrés).

408. The smallest country in the world is the Vatican which only has 0.22 square miles (0.44 square kilometers).

409. Depuis 2019, le pays où le taux de meurtres est le plus élevé est le Salvador, avec 82,84 meurtres aux 100 000 habitants par an, avec une population d'environ 6 millions de personnes, cela équivaut à 5 000 meurtres par an. Ce taux d'homicides extrêmement élevé s'explique par une grande présence de crimes liés à des gangs et par la délinquance chez les jeunes.

409. As of 2019, the country with the highest homicide rates is El Salvador with 82.84 homicides per 100,000 inhabitants per year, with a population of approximately six million people that equates to 5,000 people per year. The extremely high homicide rate in this country is marked by significant occurrence of gang-related crimes and juvenile delinquency.

410. Faire des acrobaties à vélo est illégal dans l'Illinois. Cela inclut le fait de rouler sans les mains ou sans les pieds dans la rue.

410. "Fancy riding" on bikes is illegal in Illinois. That includes riding without hands or taking your feet off the pedals when you're on the street.

411. Il y a 5 pays dans le monde qui sont dépourvus d'aéroports : le Vatican, Saint-Martin, Monaco, le Liechtenstein et Andorre.

411. There are 5 countries in the world that don't have airports: Vatican City, San Marino, Monaco, Liechtenstein, and Andorra.

412. Le slogan officiel du Nebraska est « Le Nebraska : honnêtement, ce n'est pas pour tout le monde. »

412. Nebraska's official state slogan is "Nebraska: Honestly, it's not for everyone."

413. En Corée du Sud, il existe un numéro d'urgence (113) pour signaler les espions.

413. In South Korea, there is an emergency number (113) to report spies.

Crimes, Drogue et Prison

414. En 1988, Jean Terese Keating a disparu alors qu'elle attendait son procès pour avoir tué une femme en conduisant en état d'ivresse. Elle fut arrêtée 15 ans plus tard après s'être vantée dans un bar d'avoir réussi à échapper à la justice.

415. Dans les années 60, Alcatraz était la seule prison fédérale à offrir l'accès à de l'eau chaude à ses prisonniers. Ceci s'explique par le fait que l'on considérait que les prisonniers, ainsi habitués à prendre des douches chaudes, ne supporteraient pas les eaux glaciales de la baie de San Francisco s'ils essayaient de s'évader.

416. Dans les années 80, le célèbre Pablo Escobar gagnait tellement d'argent grâce à son cartel de drogue qu'il dépensait 2 500 dollars (équivalent à 7 200 dollars aujourd'hui) chaque mois pour acheter les élastiques destinés à emballer les billets.

Crime, Drugs & Prison

414. In 1988, a woman named Jean Terese Keating disappeared while awaiting trial for drunkenly killing a woman in a car crash. She was arrested fifteen years later after bragging at a bar about having gotten away with the crime.

415. In the 1960's, Alcatraz was the only federal prison at the time to offer hot water showers for its inmates. The logic behind it was that prisoners who were acclimated to hot water would not be able to withstand the freezing waters of the San Francisco Bay during an escape attempt.

416. In the 1980's, the infamous kingpin Pablo Escobar was making so much money off of his drug cartel that he was he was spending $2,500 ($7,200 in today's money) every single month on rubber bands just to hold all of the cash.

417. Au début des années 1900, les gangsters Français utilisaient une arme appelée « le revolver Apache » qui était à la fois un revolver, un couteau et un coup de poing américain.

417. During the early 1900's, French gangsters used a weapon called "Apache Revolver" that functioned as a revolver, a knife, and brass knuckles.

418. Le cartel de drogue souterrain de la Colombie génère plus de 10 milliards de dollars, ce qui représente une somme plus importante que toutes les exportations légales du pays réunies.

418. Colombia's underground drug cartel trades as much as $10 billion, which is more than the country's legal exports.

419. Quand le psychologue Timothy Leary fut envoyé en prison en 1970, on lui a fait passer une série de tests pour déterminer dans quelle prison il devait être incarcéré. Puisqu'il a lui-même créé les tests, il a répondu de manière à être envoyé comme jardinier dans une prison faiblement sécurisée, dont il a réussi à s'échapper moins de huit mois plus tard.

419. A psychologist named Timothy Leary was sent to jail in 1970 and given a series of tests to determine which jail he should be placed in. Since he designed many of the tests himself, he manipulated his answers so that he would be placed in a low security prison as a gardener and ended up escaping only eight months later.

420. Le taux de criminalité en Islande est si bas que la police ne possède pas d'armes.

420. The crime rate in Iceland is so low that the Police there don't carry guns.

421. Un quart des prisonniers du monde sont emprisonnés aux États-Unis.

421. A quarter of the world's prisoners are locked up in the US.

422. En 2013, les Pays-Bas ont dû fermer huit prisons car il n'y avait pas assez de criminels.

422. In 2013, the Netherlands closed eight prisons due to the lack of criminals.

423. Les prisons du Brésil offrent une chance aux prisonniers de réduire leur peine jusqu'à 48 jours par an s'ils lisent et commentent des livres.

423. Brazil's prisons offer their prisoners the chance to reduce their prison sentence by up to forty eight days a year for every book they read and write a report on.

424. En Italie, le commerce le plus riche est la mafia, qui brasse plus de 178 milliards de dollars par an, ce qui représente 7 % du PIB du pays.

424. In Italy, the richest business is the mafia that turns over $178 billion a year, which is 7% of the country's GDP.

425. En 2011, Richard James Verone a braqué une banque pour 1 dollar afin d'être envoyé en prison et de bénéficier de frais médicaux gratuits.

425. In 2011, a man named Richard James Verone robbed a bank for $1 so that he could be sent to jail to receive free medical health care.

426. En 2008, on a découvert qu'un journaliste d'affaires criminelles de 56 ans, Vlado Taneski, qui enquêtait sur des meurtres sordides, était en fait le coupable.

426. In 2008, it was discovered that a fifty six year old crime reporter named Vlado Taneski, who was reporting on gruesome murders, was the serial killer himself.

427. Sigmund Freud, le neurologue autrichien fondateur de la psychanalyse, aimait tellement la cocaïne qu'il en offrait à sa famille et à ses amis.

427. Sigmund Freud, Austrian neurologist and father of Psychoanalysis, loved cocaine so much that he used to give it away to friends and family as gifts.

428. En 2006, le FBI a envoyé un espion dans une mosquée au sud de la Californie en le faisant passer pour un musulman radical afin de débusquer les menaces éventuelles. Le plan a échoué quand les musulmans de la mosquée l'ont dénoncé au FBI comme étant potentiellement un dangereux extrémiste.

428. In 2006, the FBI planted a spy in a southern California mosque and disguised him as a radical Muslim in order to root out potential threats. The plan backfired when Muslims in the mosque ended up reporting him to the FBI for being a potentially dangerous extremist.

429. Beaucoup de meurtres au Japon sont déclarés comme étant des suicides afin de sauver les apparences et pour garder un taux de criminalité bas.

429. Many murder cases in Japan are declared suicides in order for police officers to save face and to keep crime statistics low.

Monde du Divertissement

430. Walt Disney détient le record du nombre d'Oscars remportés, il en a obtenu 22.

431. Steven Spielberg a attendu plus de dix ans pour faire le film *La Liste de Schindler* après avoir reçu le script, car il ne se sentait pas assez mature pour traiter ce thème.

432. La mère de Matt Groening, créateur des Simpsons, s'appelle Marge Wiggum.

433. La chanson « Happy Birthday » a 120 ans et possède des droits d'auteur. Elle appartient à Warner Chappell Music, qui tient à ce que personne n'utilise la chanson ; c'est la raison pour laquelle on l'entend rarement à la télé ou dans les films.

434. Les derniers mots de Bob Marley à son fils furent « L'argent ne peut pas acheter la vie. »

Entertainment Industry

430. Walt Disney holds the record for the most Oscars won by any one person with a total of twenty two.

431. Steven Spielberg waited over ten years after being given the story of the Schindler's List to make the film, as he felt he wasn't mature enough to take on the subject.

432. The mother of Matt Groening, the creator of "The Simpsons," was named Marge Wiggum.

433. The song "Happy Birthday" is 120 years old and has a copyright to it. It's owned by Warner Chappell Music who insists that no one uses it; this is the reason you rarely hear it on TV shows or movies.

434. Bob Marley's last words to his son were: "Money can't buy you life."

435. Nemo apparaît dans le film *Monstres et cie*, c'est le jouet que Boo donne à Sully, deux ans avant la sortie du film *Le Monde de Nemo*. Les films Pixar sont réputés pour contenir plein de surprises de la sorte.

435. Nemo makes an appearance in the movie "Monsters Inc." as a toy that Boo gives to Sully a full two years before the movie "Finding Nemo" came out. Pixar movies are infamous for being full of Easter eggs like this.

436. La mère de Justin Timberlake était la tutrice légale de Ryan Gosling lorsqu'il était enfant.

436. Justin Timberlake's mother was Ryan Gosling's legal guardian when he was a child.

437. Macklemore travaillait autrefois dans un centre de détention pour jeunes et aidait les détenus à s'exprimer par l'écriture et en écrivant du rap.

437. Macklemore once worked at a juvenile detention center to help detainees express themselves by writing and creating rap lyrics.

438. Johnny Depp est passionné de guitare, il joue avec des artistes tels que Marilyn Manson, Oasis, Aerosmith et Eddie Vedder.

438. Johnny Depp has a passion for playing guitar, playing with artists such as Marilyn Manson, Oasis, Aerosmith, and Eddie Vedder.

439. Lady Gaga apparaît 12 fois dans le Livre Guinness des records. Dont une fois pour avoir effectué le plus de placements produits dans une vidéo.

439. Lady Gaga stars in the Guinness World Records twelve times. One of them is for including the most product placements in a video.

440. Seulement un tiers des serpents que l'on voit dans le film *Des serpents dans l'avion* sont réels.

440. Only a third of the snakes you see in the movie "Snakes on a Plane" were real.

441. En 2007, Joshua Bell, violoniste et chef d'orchestre primé, a réalisé une expérience au cours de laquelle il s'est fait passer pour un violoniste de rue. Des milliers de personnes sont passées devant lui sans le remarquer. Il a récolté seulement 31 dollars ce jour-là, alors que les billets à 100 dollars pour son concert s'étaient entièrement vendus deux jours plus tôt. Le violon avec lequel il jouait dans la rue valait 3,5 millions de dollars.

441. In 2007, Joshua Bell, an award winning violinist and conductor, conducted an experiment where he pretended to be a street violinist and had over a thousand people pass him without stopping. He only collected $31 that day yet two days previously sold out to a theater where each seat cost $100. The violin he was playing with on the street was worth $3.5 million.

442. *Le Roi Lion* était considéré comme un dessin animé bas de gamme lors de sa production car tous les meilleurs animateurs de Disney travaillaient sur *Pocahontas*, considéré comme un dessin animé haut de

442. The Lion King was considered a small B movie during productions as all the top Disney animators were working on Pocahontas, which they considered an A movie.

gamme.

443. Brad Pitt n'a pas eu le droit d'aller en Chine pendant 20 ans après son rôle dans le film *Sept ans au Tibet.*

443. Brad Pitt was banned from China for twenty years after his role in the film "Seven Years In Tibet."

444. Reed Hastings, le créateur de Netflix, a eu l'idée de commencer le site quand il a reçu une facture de 40 dollars pour une cassette VHS d'*Apollo 13* qu'il n'avait pas rendue à temps. Il est aussi allé voir Blockbuster Video en 2005 pour leur proposer d'acheter son entreprise pour 50 millions de dollars, ils ont refusé. Aujourd'hui, l'entreprise vaut 9 milliards de dollars.

444. Reed Hastings, the founder of Netflix, got the idea to start the site when he received a late fine of $40 on a VHS copy of Apollo 13. Reed also approached Blockbuster in 2005 offering to sell the company for $50 million which was turned down at the time. Today the company is worth over $9 billion.

445. Animal Planet a diffusé un faux documentaire sur l'existence des sirènes qui a convaincu des milliers de spectateurs à deux reprises, une fois en 2012 et une autre en 2013.

445. Animal Planet aired a fake documentary about the existence of mermaids that convinced thousands of viewers twice, once in 2012 and once in 2013.

446. La chanteuse et interprète Dolly Parton a un jour participé à un concours de sosies de Dolly Parton pour rigoler et a perdu face à une drag queen.

446. The American singer and songwriter Dolly Parton once entered a Dolly Parton lookalike contest for fun and ended up losing to a drag queen.

447. Macaron le glouton a révélé lors d'une chanson de 2004 qu'avant de manger des cookies et de devenir « Macaron le glouton, » il s'appelait Sid.

447. The Cookie Monster revealed in 2004 during a song that before he started eating cookies and became known as the "Cookie Monster," he was called "Sid."

448. Lotso, l'ours de *Toy Story 3*, devait normalement apparaître dans le premier film, mais la technologie nécessaire pour sa fourrure n'existait pas à l'époque, c'est pourquoi il apparaît seulement à partir du troisième film.

448. Lotso, the bear from Toy Story 3, was originally supposed to be in the first movie, but the technology needed to create his fur wasn't available at the time so he got pushed back to the third film.

449. Les compagnies d'assurance ont mis Jackie Chan sur liste rouge, ainsi que tous les membres de son équipe de cascadeurs. Si l'un d'entre eux se blesse en tournant un film Jackie Chan, il devra payer les frais médicaux de sa poche.

449. Insurance companies have blacklisted Jackie Chan and anyone else who works on his stunt team. This means that if anyone gets injured while on the set of a Jackie Chan movie, he has to pay for their recovery treatment.

450. Casey Anderson, qui travaille pour le

450. National Geographic star Casey

magazine National Geographic, possède un grizzli comme animal de compagnie, nommé Brutus. L'ours fut adopté en 2002 alors qu'il n'était encore qu'un ourson. En 2008, il était le témoin de Casey lors de son mariage.

Anderson has a pet grizzly bear named Brutus. The bear was adopted in 2002 when he was a newborn cub, and in 2008, served as Casey's best man at his wedding.

451. Avant d'avoir son rôle dans Le *Prince de Bel-Air*, Will Smith était au bord de la faillite avec une dette envers le gouvernement de 2,8 millions de dollars. Durant les trois premières saisons de la série, il a dû verser 70 % de son revenu.

451. Before Will Smith starred in the Fresh Prince of Bel-Air, he was on the verge of bankruptcy owing the government $2.8 million. For the first three seasons of the show, he had to pay 70% of his income.

452. Les personnes déguisées en personnages de Disney à Disneyland sont fidèles au personnage qu'ils incarnent. Ils ont même une formation spéciale pour signer des autographes comme le ferait leur personnage.

452. Dressed up Disneyland characters never ever break character. They're even given special autograph training sessions so that they can always sign autographs in the style of the cartoon character they're playing.

453. Jim Cummings, la voix de Winnie l'ourson, avait pour habitude d'appeler les enfants des hôpitaux en prenant la voix de Winnie pour leur remonter le moral.

453. Jim Cummings, the voice of Winnie the Pooh, would call up children's hospitals and talk to them in his Winnie voice to make them feel better.

454. Walt Disney fut viré de Kansas City Star en 1919 parce que l'éditeur a dit qu'il manquait d'imagination et qu'il n'avait pas de bonnes idées.

454. Walt Disney was fired from Kansas City Star in 1919 because his editor said that he lacked imagination and had no good ideas.

455. La personne derrière la voix de Minnie Mouse, Russi Taylor, fut mariée à Wayne Allowing, la voix de Mickey Mouse.

455. The person who did the voice of Minnie Mouse, Russi Taylor, was married to Wayne Allowing, the voice of Mickey Mouse.

456. Dans Bob l'éponge, il y a un poisson que l'on voit dans plusieurs épisodes qui montre son pénis de manière ostentatoire.

456. There's a fish in Spongebob Squarepants that's been shown in multiple episodes with a clearly shown penis.

457. Snoop Dogg a sorti un livre intitulé *Rolling Words* contenant les paroles de toutes ses chansons que l'on peut détacher pour en faire des feuilles à rouler.

457. Snoop Dogg has a book published named *Rolling Words* that has lyrics of all his songs that you can later rip out and use as rolling papers.

458. Dans le New Jersey, il y a un restaurant dont le propriétaire est Bon Jovi et où il n'y

458. There's a restaurant in New Jersey owned by Bon Jovi where there are no fixed

a pas de prix fixe. Les clients sont libres de donner de l'argent ou de faire du bénévolat en échange de leur repas.

prices. Instead customers donate money or volunteer to pay for their meals.

459. En 1961, Mel Blanc, la voix de Bugs Bunny, fut victime d'un grave accident de voiture qui l'a plongé dans un coma dont il n'arrivait pas à sortir. Les médecins ont commencé à s'adresser à lui comme s'il était Bugs Bunny et il répondait avec les voix des personnages qu'il jouait. Il est sorti du coma trois semaines plus tard.

459. In 1961, Mel Blanc, the voice of Bugs Bunny, was in a serious car accident that put him in a coma that he could not wake up from. Doctors began speaking directly to the characters that he voiced from which he would actually respond in their voices, and three weeks later he actually woke up.

460. « Sperm Race » est une émission diffusée en Allemagne en 2005 dans laquelle douze hommes font un don de sperme à un laboratoire. Les médecins observaient ensuite la course des spermatozoïdes jusqu'à l'ovule et le gagnant remportait une Porsche toute neuve.

460. "Sperm Race" was a show that aired in Germany in 2005 where twelve men donated their sperm to a lab. The doctors then observed the sperm race towards the egg and the winner received a new Porsche.

461. Au début des années 1990, Michael Jackson a tenté d'acheter Marvel Comics afin de pouvoir jouer Spider Man dans un film qu'il aurait lui-même produit.

461. In the early 1990's, Michael Jackson tried to buy Marvel Comics so that he could play Spider Man in his own self-produced movie.

462. En 1939, le New York Times avait prédit que la télévision arriverait à son terme parce que la famille américaine moyenne n'aurait plus assez de temps pour la regarder.

462. In 1939, the New York Times predicted that the television would fail because the average American family wouldn't have enough time to sit around and watch it.

463. Si vous pouviez entrer à Poudlard, cela vous coûterait environ 40 000 dollars par an.

463. If you could actually go to Hogwarts, it would cost approximately $40,000 a year.

464. Dans les films *Moi, moche et méchant*, le charabia que les minions parlent est en fait une véritable langue écrite par les directeurs et qui s'appelle le « Minionais. »

464. In the Despicable Me movies, the gibberish that the minions speak is actually a functioning language written by the directors called "Minionese."

465. Les créateurs et propriétaires de Macy's, Isidor et Ida Straus, sont tous deux morts sur le Titanic. Dans le film, ils sont le vieux couple que l'on voit aller se coucher alors que le bateau coule, ce qui est exactement ce qui s'est passé.

465. The original founders and owners of Macy's, Isidor and Ida Straus, both died on the Titanic. They were the old couple in the movie who went to sleep as the ship went down, which is what actually happened.

466. Le créateur de *Peter Pan*, J. M. Barrie, a cédé ses droits d'auteur à l'hôpital pour enfants Great Ormond Street Children's Hospital afin qu'ils puissent récolter les royalties et financer l'hôpital.

466. The creator of Peter Pan, J. M. Barrie, gave away the rights to the franchise to the Great Ormond Street Children's Hospital so that they could always collect royalties and fund the hospital.

467. Le cinéma Prince Charles Cinema à Londres possède des ninjas bénévoles qui se faufilent dans la salle pour dire aux gens bruyants ou qui jettent des objets de se taire.

467. The Prince Charles Cinema in London has volunteer ninjas that sneak up and hush anyone in the theater that's making noise or throwing things.

468. Cameron Diaz et Snoop Dogg sont allés à l'école ensemble. Cameron a même eu l'occasion d'acheter du cannabis à Snoop.

468. Cameron Diaz and Snoop Dogg both went to school together. Cameron even bought some weed off of Snoop once.

469. Un employé de Pixar a effacé par accident une séquence de *Toy Story 2* durant sa production. Cela aurait pris plus d'un an pour refaire ce qui a été perdu mais heureusement, un autre employé possédait une copie sur son ordinateur personnel.

469. An employee at Pixar accidentally deleted a sequence of Toy Story 2 during production. It would've taken a year to remake what was gone but, luckily, another employee had the whole thing backed up on a personal computer.

470. *Space Jam* est le film le plus coûteux au monde ayant pour thème le basket.

470. Space Jam is the highest grossing basketball movie of all time.

471. La bête de *La Belle et la Bête* est une créature nommée « chimère » qui possède les caractéristiques de plusieurs animaux à la fois.

471. The Beast from Beauty and the Beast is a creature called a "Chimera" which has features from seven different animals.

472. L'équipe entière de Pixar a dû obtenir un diplôme en biologie marine avant de créer *Le Monde de Nemo*.

472. The entire Pixar staff had to take a graduate class in fish biology before making Finding Nemo.

473. Arnold Schwarzenegger fut payé 15 millions de dollars pour le second *Terminator* alors qu'il y prononce seulement 700 mots. Au tarif par mot, sa célèbre phrase « Hasta la vista baby » a été payée plus de 85 000 dollars.

473. Arnold Schwarzenegger was paid $15 million in the second Terminator film where he only said 700 words of dialogue. At a cost by word basis, his famous line "Hasta la vista baby" cost over $85,000.

474. *Twilight* fut rejeté 14 fois avant d'être accepté.

474. Twilight was rejected fourteen times before it was accepted.

475. Jackie Chan est à la fois un acteur et une pop star en Asie ; il a sorti 20 albums depuis 1984. C'est aussi lui qui chante le

475. Jackie Chan is an actor as well as a pop star in Asia; he has released twenty albums since 1984. He also sings the theme songs to

générique de ses films.

his own movies.

476. Tous les personnages de *Toy Story* clignent d'un œil à la fois.

476. All the characters in Toy Story only blink one eye at a time.

477. Il faudrait 50 millions de ballons pour soulever la maison du film *Là-haut.*

477. It would take over fifty million balloons to lift the average house off the ground like in the movie "Up."

478. En 1938, Walt Disney a reçu un Oscar d'honneur pour *Blanche Neige*. La statuette qu'il a reçue comportait sept mini-statuettes sur un piédestal.

478. In 1938, Walt Disney was awarded an honorary Oscar for Snow White. The statuette that he received came with seven mini-statuettes on a stepped base.

479. Avant d'incarner Iron Man, l'acteur Robert Downey Junior était connu pour être accro à la drogue. Il doit sa sobriété à la chaîne de restauration rapide Burger King. Dans une interview à Empire magazine, il a révélé qu'en 2003 sa voiture était remplie de drogue quand il a commandé un burger à Burger King qui était si infect qu'il a été obligé de se garer, sortir du véhicule et de jeter toute sa drogue dans l'océan.

479. Before he was Iron Man, actor Robert Downey Junior was a notorious drug addict. He credits his sobriety to the fast food chain Burger King. In an interview with Empire magazine, he revealed that in 2003 he was driving a car full of drugs when he ordered a burger from Burger King that was so disgusting that he felt compelled to pull over, get out, and dump all of his drugs into the ocean.

480. Si on prend les premières lettres des personnages principaux du film *Inception* : Dom, Robert, Eames, Arthur, Mal, Saito, on obtient « dreams » (rêves).

480. If you rearrange the first letters of the main character's names in the movie Inception: Dom, Robert, Eames, Arthur, Mal, Saito, they spell "dreams."

481. Verne Troyer, l'acteur qui joue Mini-moi dans les films *Austin Powers*, a dû faire lui-même les cascades car mesurant 81 cm (2,7 pieds) il n'y avait pas de cascadeur de la même taille que lui.

481. Verne Troyer, the actor who plays Mini-me in the Austin Powers movies, had to do all his own stunts because at 2.7 feet (eighty one centimeters) tall, there was no stunt double his size that could fill in for him.

482. Les réflexes de Bruce Lee étaient si rapides qu'il arrivait à attraper une pièce de 25 centimes dans la main de quelqu'un en la remplaçant par 1 centime avant que la personne ait le temps de refermer la main.

482. Bruce Lee's reflexes were so fast that he could snatch a quarter off of a person's open palm and replace it with a penny before the person could close their fist.

483. À la fin des années 90, il y avait une émission télé en Russie nommée « The Intercept, » où des concurrents devaient voler une voiture. S'ils ne se faisaient pas attraper par la police dans les 35 minutes, ils

483. In the late 1990's, there was a Russian TV show called "The Intercept," where contestants had to steal a car. If they didn't get caught by the police in thirty five minutes, they got to keep the car, otherwise

avaient le droit de garder la voiture, sinon ils étaient arrêtés.

they were arrested.

484. Ryan Gosling a passé le casting pour le rôle de Noah dans le film *N'oublie jamais* car le réalisateur cherchait quelqu'un qui ne soit pas « super beau. »

484. Ryan Gosling was casted for the role of Noah in the movie "The Notebook" because the director wanted someone "not handsome."

485. L'acteur qui joue Mr. Bean, Rowan Atkinson, a un jour empêché le crash d'un avion dont le pilote s'était évanoui, alors qu'il n'avait jamais piloté d'avion.

485. The actor who plays Mr. Bean, Rowan Atkinson, once saved a plane from crashing after the pilot passed out, despite never having piloted a plane before.

486. *Rubber* est un film de 2010 dont le personnage principal est un pneu meurtrier nommé Robert, qui roule dans le but de tuer des gens et de détruire le décor.

486. There's a movie from 2010 called "Rubber" about a murderous car tire named Robert that rolls around killing people and blowing things up.

487. La production d'un épisode de *Game of Thrones* coûte entre 2 et 3 millions de dollars. C'est entre deux et trois fois plus que le coût habituel d'un épisode de série.

487. The average Game of Thrones episode costs $2 to $3 million to produce. That's two to three times what a typical network or cable show costs per episode.

488. Le fils de Jackie Chan ne recevra pas la fortune de 130 millions de dollars de son père car celui-ci a dit : « S'il le peut, alors il gagnera sa vie tout seul. Si ce n'est pas le cas, il ne fera que gâcher mon argent. »

488. Jackie Chan's son will receive none of his $130 million fortune as he's quoted saying: "If he's capable, he can make his own money. If he's not, then he'll just be wasting my money."

489. Bruce Lee pouvait faire des pompes sur une seule main, en s'appuyant uniquement sur l'index et le pouce. Il était aussi célèbre pour son coup de poing à une distance de moins de 3 cm (1 pouce) capable de mettre son adversaire K.O.

489. Bruce Lee could perform one handed pushups using only his index finger and thumb. He was also known for his famous one inch (2.54 centimeter) punch where he was capable of knocking back an opponent from a distance of just one inch.

490. En 2010, Johnny Depp a répondu à une lettre d'une fillette de 9 ans nommée Beatrice Delap en se présentant à son école habillé en Jack Sparrow après qu'elle lui a demandé dans sa lettre que les pirates l'aident à mettre en scène une rébellion contre les enseignants.

490. In 2010, Johnny Depp responded to a letter from a nine year old girl named Beatrice Delap by actually showing up at her school in costume as Captain Jack Sparrow after she wrote asking that pirates help her stage a mutiny against her teachers.

491. Bob Marley fut enterré avec sa guitare rouge Bison, une Bible ouverte à la page du psaume 23 et un joint de marijuana.

491. Bob Marley was buried with his red Bison guitar, a Bible opened to Psalm 23, and a bud of marijuana.

492. Le décor utilisé dans le film *Sherlock Holmes* de 2009 fut également la maison de Sirius Black dans *Harry Potter et l'Ordre du Phénix*.

492. The set used in the 2009 Sherlock Holmes film was reused as the house of Sirius Black in Harry Potter and the Order of the Phoenix.

493. Le premier ticket du tout premier *Comic Con de New York* a été acheté par George RR Martin en 1964. Il était le premier arrivant de seulement 30 visiteurs ce jour-là.

493. The first ever ticket purchase to the first ever Comic Con in New York was by George RR Martin in 1964. He was the first of only thirty people there that day.

494. Quand Shakira était en CM1, elle n'a pas été acceptée dans la chorale de l'école car son prof de musique pensait qu'elle ne savait pas chanter et qu'elle avait la voix d'une chèvre.

494. When Shakira was in the second grade, she was rejected from the school choir because her music teacher didn't think she could sing, and thought she sounded like a goat.

495. Avant d'avoir la cicatrice au visage, le lion Scar du *Roi Lion* s'appelait Taka, ce qui signifie ordure en Swahili.

495. Before Scar got the scar on his face in "The Lion King," his name was Taka which means garbage in Swahili.

496. Avant de vendre le script de *Rocky*, Sylvester Stallone était fauché et a même dû vendre son chien pour 50 dollars. Une semaine plus tard, il a vendu le script et a racheté son chien pour 3 000 dollars.

496. Before Sylvester Stallone sold the script for "Rocky," he was broke and had to sell his dog for $50. A week later he sold the script and bought his dog back for $3,000.

497. La mère de Jackie Chan était narcotrafiquante et son père était espion. C'est même comme ça qu'ils se sont rencontrés, quand son père a arrêté sa mère qui faisait du commerce d'opium.

497. Jackie Chan's mother was a drug smuggler while his father was a spy. This is in fact how they met, when his father arrested his mother for smuggling opium.

498. George Lucas voulait initialement que Mace Windu soit joué par Tupac, malheureusement ce dernier est décédé avant de passer le casting et le rôle fut donc attribué à Samuel L. Jackson.

498. George Lucas wanted the role of Mace Windu to originally go to Tupac, however, he died before he could give an audition and the role went to Samuel L. Jackson instead.

499. Kim Peek, celui qui a inspiré le film *Rain Man*, est né avec un cerveau gravement endommagé. Il a lu plus de 12 000 livres et se souvient de chacun d'eux. Il est même capable de lire deux pages en même temps, une avec chaque œil, et se souvient de tout ce qui était écrit.

499. Kim Peek, the inspiration for the movie Rain Man, was born with significant brain damage. He's read over 12,000 books and remembers every single one of them. He's even able to read two pages at once, one with each eye, and remembers everything in them.

500. En 2005, le documentaire « Le

500. In 2005, a documentary called

Mystère von Bülow » filme des réalisateurs qui ont donné 100 000 dollars en liquide à un sans-abri, Ted Rodrigue, et l'ont ensuite suivi pour voir ce qu'il allait faire de l'argent. Moins de six mois plus tard, il était entièrement fauché et de nouveau au même endroit qu'avant.

501. Oona Chaplin, l'actrice qui joue Talisa dans *Game of Thrones*, est en fait l'arrière-petite-fille de Charlie Chaplin.

502. Zach Galifianakis a été contacté par Nike pour apparaître dans leurs publicités après le succès de *Very Bad Trip*. Pendant l'entretien téléphonique, il a brisé la glace en demandant : « Et vous faites toujours fabriquer vos produits par des gamins de 7 ans ? »

503. Quand Jackie Chan avait 18 ans, il s'est battu dans la rue avec des motards ; peu après, il a remarqué qu'un bout d'os sortait de son articulation. Il a passé la journée à le pousser pour qu'il rentre dans la peau jusqu'au moment où il a compris que ce n'était pas son os mais la dent de celui qu'il avait frappé.

504. Après la sortie du film *La Princesse et la Grenouille*, plus de 50 personnes ont été hospitalisées pour empoisonnement à la salmonelle après avoir embrassé des grenouilles.

505. Irmelin Indenbirken était enceinte et a senti un coup de pied de son bébé en regardant un tableau de Léonard de Vinci en Italie. Elle a choisi d'appeler son fils « Leonardo » en hommage au peintre, et c'est ainsi que Leonardo DiCaprio est né.

506. Après avoir été éliminés de l'émission Hell's Kitchen, les concurrents vont directement passer un test psychiatrique puis sont emmenés dans une maison où

"Reversal of Fortune" was filmed where film makers gave a homeless man named Ted Rodrigue $100,000 in cash and followed him around to see what he would do with the money. Less than six months later he was completely broke and back in the same place he was before it all started.

501. Oona Chaplin, the actress who plays Talisa in the Game of Thrones, is actually Charlie Chaplin's granddaughter.

502. Zach Galifianakis was approached by Nike to be in their advertising after the success of The Hangover. During the conference call he broke the ice by asking: "So do you still have seven year olds making your stuff?"

503. When Jackie Chan was eighteen, he got into a street fight with bikers; shortly after he noticed a piece of bone sticking out of his knuckle. He spent an entire day trying to push it back in until he realized that it wasn't his bone but the other guy's tooth.

504. After the movie "Princess and the Frog" came out, more than fifty people were hospitalized with salmonella poisoning from kissing frogs.

505. Irmelin Indenbirken was pregnant and felt her baby kick when she was looking at a Leonardo da Vinci painting in Italy. She ended up naming her son "Leonardo" after the painter, and that's how Leonard DiCaprio got his name.

506. After being eliminated from the show Hell's Kitchen, the contestants are immediately taken to get psychiatric evaluations and then to a house where they

on les chouchoute avec des massages, des coupes de cheveux et des manucures. Cela est dû au fait que le l'émission est si épuisante que les producteurs ne veulent pas que les concurrents éliminés se suicident ou commettent un meurtre.

are pampered with back rubs, haircuts, and manicures. This is because the experience on the show is so draining that the producers don't want the eliminated contestants to kill themselves or someone else.

507. Le premier film avec un budget de 100 milliards de dollars était True Lies en 1994.

507. The first film with a $100 million budget was True Lies, which was made in 1994.

Nourriture et Boissons

Food & Drinks

508. Le Colonel Sanders déteste tellement ce que la franchise KFC a fait de la nourriture qu'il l'a décrite comme proposant le pire poulet frit qu'il ait mangé, et a dit que la sauce gravy avait le goût de colle pour papier peint.

508. Colonel Sanders disliked what the KFC Franchise had done to the food so much that he described it as the worst fried chicken he had ever had and the gravy was like wall paper paste.

509. En 2009, Burger King a lancé une campagne selon laquelle supprimer 10 amis sur Facebook donnerait droit à un Whopper gratuit. En utilisant l'application Whopper Sacrifice, votre ami recevait un message en lui indiquant qu'un Whopper comptait plus que son amitié.

509. In 2009, Burger King launched a campaign that if you unfriended ten of your Facebook friends, you would receive a free Whopper. Using the Whopper Sacrifice application, your friend would receive a message telling them that their friendship was less valuable than a Whopper.

510. Les pommes de terre possèdent plus de chromosomes qu'un être humain.

510. Potatoes have more chromosomes than a human.

511. Ruth Wakefield, qui a inventé le cookie aux pépites de chocolat vers 1938, a vendu l'idée à Nestlé Toll House Café contre du chocolat gratuit à vie.

511. Ruth Wakefield, who invented the chocolate chip cookie around 1938, sold the idea to Nestle Toll House in exchange for a lifetime supply of chocolate.

512. Le babeurre ne contient absolument pas de beurre.

512. Butter milk contains zero butter.

513. Le Coca-Cola fabriqué aux Maldives était auparavant fait avec de l'eau de mer.

513. The Coca-Cola made in the Maldives used to be made from ocean water.

514. Un quart des noisettes produites chaque année dans le monde est destiné à fabriquer du Nutella. Cela représente 100 000 tonnes de noisettes par an.

514. A quarter of the world's hazelnuts each year go towards making Nutella. That's 100,000 tons of hazelnuts per year.

515. L'ananas n'est pas un fruit, c'est en fait une baie.

515. Pineapple isn't a fruit, it's actually a berry.

516. La France fut le premier pays à interdire aux supermarchés de jeter ou de détruire la nourriture invendue.

516. France was the first country that banned supermarkets from throwing out or destroying food that wasn't sold.

517. McDonald's possède plus de 37 000 restaurants dans le monde, c'est donc la plus grande chaîne de restauration internationale.

517. McDonald's has more than 37,000 stores around the world making it the largest fast food chain globally.

518. La pizza Louis XIII est la pizza la plus chère au monde, elle coûte 12 000 dollars. Créée par le chef Renato Viola, qui prépare le plat directement chez vous. La garniture comprend trois types de caviar, du homard méditerranéen et des gambas. La taille de la pizza mesure seulement 20 cm (8 pouces) de diamètre.

518. The pizza Louis XIII is the most expensive pizza in the world costing $12,000. Created by Chef Renato Viola, he prepares the entire dish at your house. The toppings include three types of caviar, Mediterranean lobster, and red prawns. The size of the pizza is only eight inches (twenty centimeters) in diameter.

519. Dans la nature, on trouve un champignon appelé « Laetiporus » qui possède le même goût que le poulet frit.

519. There's a mushroom in the wild called "Laetiporus" that tastes like fried chicken.

520. Les tomates noires peuvent pousser sans modification génétique. Elles sont pleines d'anthocyanes bénéfiques qui aideraient à combattre l'obésité, le cancer et le diabète.

520. Black tomatoes can be grown without any genetic engineering. They are full of beneficial anthocyanins which are believed to help with obesity, cancer, and diabetes.

521. Au Cambodge, il existe une « Pizza du bonheur » garnie de fromage et de cannabis.

521. In Cambodia, they sell "Happy Pizza" which is a cheese pizza garnished with weed on top.

522. Les pommes, les pêches et les

522. Apples, peaches, and raspberries are

framboises font partie de la même famille que les roses.

all members of the rose family.

523. Une fraise possède environ 200 pépins sur la face externe. Elle n'est d'ailleurs pas considérée comme un fruit.

523. The average strawberry has 200 seeds on the outside. It's also not considered a fruit.

524. La plupart des vitamines qu'apporte une pomme de terre se trouvent dans sa peau.

524. Most of the vitamins you get from eating a potato are in the skin.

525. Au Japon, Burger King a créé deux hamburgers noirs appelés « Kure Diamond » et « Kuro Pearl, » dont le pain, la sauce et le fromage sont colorés en noir grâce à de l'encre de seiche.

525. Burger King in Japan has released two black hamburgers called the "Kure Diamond" and the "Kuro Pearl" with everything including the bun, the sauce, and the cheese colored black with squid ink.

526. Les humains mangent des pommes de terre depuis 7 000 ans.

526. People have been eating potatoes since 7,000 years ago.

527. Coca-Cola fut inventé par un pharmacien américain, John Pemberton, qui indiquait que c'était une boisson énergisante bénéfique pour les migraines et la fatigue.

527. Coca-Cola was invented by an American pharmacist named John Pemberton who advertised it as a nerve tonic that could cure headaches and fatigue.

528. La moitié de l'ADN d'une banane est identique au vôtre.

528. Half of the DNA in a banana is identical to what makes up you.

529. Près d'un tiers de la production mondiale de nourriture destinée à la consommation est jetée. Cela représente une perte d'environ 1,3 milliards de tonnes et d'1 milliard de dollars.

529. Roughly a third of all food produced in the world for human consumption every year goes to waste. This is approximately 1.3 billion tons equating to roughly a billion dollars down the drain.

530. En 2014, Molly Schuyler, une mangeuse de compétition, qui pesait 57 kg (126 livres) a gagné quatre concours de mangeurs en seulement trois jours. Elle a ingéré un total de 363 ailes de poulets, 59 pancakes, 2,2 kg (5 livres) de bacon et de viande grillée.

530. In 2014, a competitive eater named Molly Schuyler, who weighs only 126 pounds (fifty seven kilograms), won four eating contests in only three days. She ate a total of 363 chicken wings, fifty nine pancakes, five pounds (2.2 kilograms) of bacon, and five pounds of barbecued meat.

531. Aux États-Unis, le 2 avril est la journée nationale du beurre de cacahuètes et de la gelée.

531. In the US, April 2 is National Peanut Butter and Jelly Day.

532. Les pastèques contiennent un acide aminé appelé « citrulline » qui peut engendrer la production d'une substance qui permet de dilater les vaisseaux sanguins, de la même manière que le Viagra.

532. Watermelons contain an ingredient called "citrulline" that can trigger the production of a compound that helps relax the body's blood vessels, just like Viagra.

533. La turophobie est la peur du fromage.

533. Turophobia is the fear of cheese.

534. Les Doritos peuvent être fabriqués sans la poudre et avoir exactement le même goût, mais la société l'ajoute volontairement car elle pense que ça fait partie de l'originalité des Doritos.

534. Doritos can be made without the powder and taste exactly the same, but the company intentionally adds it because they believe it adds to the Doritos experience.

535. Vous pouvez fabriquer votre propre Gatorade chez vous en ajoutant simplement du sel à la boisson Kool-Aid. Ce n'est pas la recette exacte mais celle-ci contient autant d'électrolytes.

535. You can make your own Gatorade at home by simply adding salt to some Kool-Aid. It's not the exact recipe, but it's got just as many electrolytes.

536. Une cuillère à café de glaçage contient moins de gras, de calories et de sucre qu'une cuillère à café de Nutella.

536. A tablespoon of cake frosting has less fat, calories, and sugar than a tablespoon of Nutella.

537. « Oriole O's » est un type de céréales disponible uniquement en Corée du Sud.

537. "Oriole O's" are a type of cereal that's exclusively available in South Korea.

538. Chez McDonald's on peut commander un burger surprise, c'est un McChicken au milieu de deux cheeseburgers.

538. There is a secret McDonald's menu item that you can order which is a McChicken in the middle of a double cheeseburger.

539. Ben et Jerry's possèdent un cimetière où ils enterrent toutes les saveurs qu'ils ne commercialisent plus.

539. Ben and Jerry's has a cemetery where they bury all their discontinued flavors.

540. Les Skittles and Jelly beans comportent un ingrédient à base de cocons d'insectes qui sert à enrober les bonbons et à leur donner cet aspect brillant appelé shellac.

540. Skittles and jelly beans contain insect cocoons which are used to coat candies to give them that special shine known as shellac.

541. Aujourd'hui, l'entreprise Coca-Cola utilise encore les feuilles de coca. Une société du New Jersey extrait d'abord la cocaïne des feuilles avant de les donner à Coca-Cola pour leur boisson.

541. Coca leaves are still used by Coca-Cola to this day. A company in New Jersey first extracts the cocaine from the leaves giving the spent leaves to Coca-Cola to put in their drinks.

542. Avant le 17ème siècle, les carottes étaient violettes, jusqu'à ce qu'une mutation entraîne la couleur orange que l'on leur connaît aujourd'hui.

542. Before the seventeenth century, carrots were purple until a mutation changed the color to what we know now.

543. Les sodas light détruisent autant l'émail de vos dents que la cocaïne et les méthamphétamines.

543. Diet soda ruins your tooth enamel just as badly as cocaine and methamphetamines.

544. Il existe un parfum Pizza Hut qui a la même odeur qu'une pizza de Pizza Hut fraîchement préparée.

544. There is a Pizza Hut perfume that smells like a fresh box of Pizza Hut pizza when you spray it.

545. Le créateur des Pringles, Frederic Baur, a fait mettre ses cendres dans une boîte de Pringles à sa mort.

545. The creator of Pringles, Fredric Baur, had his ashes stored in a Pringles can after he died.

546. Mâcher du chewing gum en coupant des oignons vous empêchera de pleurer car cela vous obligera à respirer par la bouche.

546. Chewing gum when cutting onions prevents you from tearing up as it forces you to breathe through your mouth.

547. Le miel est le seul aliment qui ne périme pas.

547. Honey is the only food that doesn't spoil.

548. Coca-Cola a seulement vendu 25 bouteilles la première année. Aujourd'hui, il s'en vend 1,8 milliards par jour.

548. Coca-Cola only sold twenty five bottles its first year. Today, it sells 1.8 billion bottles a day.

549. Il n'existe pas d'aliments bleus. Ceux qui semblent bleus comme les myrtilles ont en fait une teinte de violet.

549. There are no genuinely blue foods. Foods that appear blue such as blueberries are often a shade of purple.

550. Les marshmallows doivent leur existence au mal de gorge. Pendant des siècles, le jus de guimauve était utilisé comme antalgique. Dans les années 1800, il fut mélangé à du blanc d'œuf et du sucre pour les maux de gorge des enfants ; la recette était si délicieuse qu'elle est devenue un bonbon appelé marshmallow.

550. Marshmallows exist because of sore throats. For centuries, juice from the marshmallow plant has been used for pain relief. In the 1800's, it was mixed with egg whites and sugar for children with sore throats, and the recipe was so tasty that people turned it into a treat called marshmallow.

551. Les étiquettes que l'on trouve sur les fruits sont faites de papier comestible, et la colle utilisée est alimentaire, donc si vous en mangez une, vous ne risquez rien.

551. The stickers that you find on fruit are actually made of edible paper and the glue used to stick them on is actually food grade, so even if you eat one, you'll be completely fine.

552. Les cerises contiennent un composant qui empêche la croissance des tumeurs et peut même entraîner l'auto-destruction des cellules cancéreuses sans détériorer les cellules saines.

552. Cherries contain two compounds inhibiting tumor growth and even cause cancer cells to self-destruct without damaging healthy cells.

553. L'édulcorant artificiel Splenda fut découvert quand un chercheur a mal compris la consigne « testez cette substance chimique » et a entendu « goûtez cette substance chimique. »

553. The artificial sweetener Splenda was discovered when a researcher misheard the command to test this chemical as "taste this chemical."

554. Les oranges ne figurent pas parmi les 10 fruits courants contenant le plus de vitamine C.

554. Oranges are not even in the top ten list of common foods when it comes to vitamin C levels.

555. Les 10 plus gros mangeurs de fromage sont tous en Europe, la France étant numéro un. Un français consomme en moyenne 25 kg (57 livres) de fromage par an.

555. The top ten cheese eating countries are all in Europe with France being number one. The average French person consumes fifty seven pounds (twenty five kilograms) of cheese per year.

556. Le sucre a été inventé en Inde, les techniques d'extraction et de purification ont été élaborées en l'an 510 avant J.-C. Avant cela, l'aliment sucrant utilisé était le miel.

556. Sugar was first invented in India where extraction and purification techniques were developed in 510 B.C. Before that the most popular sweetener was honey.

557. L'américain moyen dépense 1 200 dollars en fast food chaque année.

557. The typical American spends $1,200 on fast food every year.

558. Tout l'air que contient un paquet de chips et qui agace les gens n'est en fait pas de l'air. C'est du nitrogène qui a pour fonction de garder les chips croustillantes et de protéger des coups lors du transport.

558. All of the air in potato chip bags that people complain about isn't air at all. It's actually nitrogen which serves the purpose to keep chips crisp and to provide a cushion during shipping.

559. Il y a un fruit qui s'appelle « sapote noire » surnommé « fruit de pudding au chocolat » qui possède, à une certaine maturité, le même goût qu'un gâteau au chocolat, faible en graisses et contenant quatre fois plus de vitamine C qu'une orange.

559. There's a fruit called "black sapote" or "chocolate pudding fruit" which, at the right ripeness, tastes like chocolate pudding, is low in fat and has about four times as much vitamin C as an orange.

560. Chaque jour, 100 acres de pizzas sont coupées rien qu'aux États-Unis.

560. One hundred acres of pizza are cut every day in the US alone.

561. En 2013, des scientifiques écossais ont créé une pizza qui possède 30 % des recommandations nutritionnelles journalières.

561. In 2013, Scottish scientists created a pizza that has 30% of your daily recommended nutrients.

562. Une bouteille de 500 ml de Mountain Dew contient l'équivalent de 22 carreaux de sucre.

562. A twenty ounce bottle of Mountain Dew contains the equivalent of twenty two packets of sugar.

563. En France, pour posséder l'appellation « boulangerie, » il est nécessaire de fabriquer de a à z sur place le pain qui sera vendu.

563. In France, a bakery by law has to make all its bread that it sells from scratch in order to have the right to be called a bakery.

564. Les pommes vendues en supermarché peuvent dater de l'année précédente. On les cueille entre août et novembre, on les recouvre de cire, on les sèche et on les entrepose dans des chambres froides. Après 6 à 12 mois, elles atterrissent sur les étals des magasins.

564. Supermarket apples can be a year old. They're usually picked between August and November, covered in wax, hot-air dried, and sent into cold storage. After six to twelve months, they finally land on the grocery store shelves.

565. Au Philippines, les restaurants McDonald's incluent des spaghettis dans leurs menus. Les pâtes sont vendues avec de la sauce tomate au bœuf ainsi qu'une pièce de poulet frit « McDo. »

565. In the Philippines, McDonald's includes spaghetti in their menu. The pasta comes with a beef tomato sauce and a piece of "McDo" fried chicken.

566. Le concombre en tranche est un remède contre la mauvaise haleine. Si vous n'avez pas de chewing-gum sous la main, une tranche de concombre fera l'affaire.

566. Cucumber slices can fight bad breath. If you don't have a mint on hand, a slice of cucumber will do the job.

567. Plus d'1/5 de toutes les calories absorbées par les humains du monde entier provient du riz.

567. More than 1/5 of all the calories consumed by humans worldwide is provided by rice alone.

568. Il existe un restaurant McDonald's sur chaque continent, à l'exception de l'Antarctique.

568. There is a McDonald's in every continent except Antarctica.

569. Même si les Froot Loops sont de couleurs différentes, ils ont tous le même goût.

569. Even though Froot Loops are different colors, they all have exactly the same flavor.

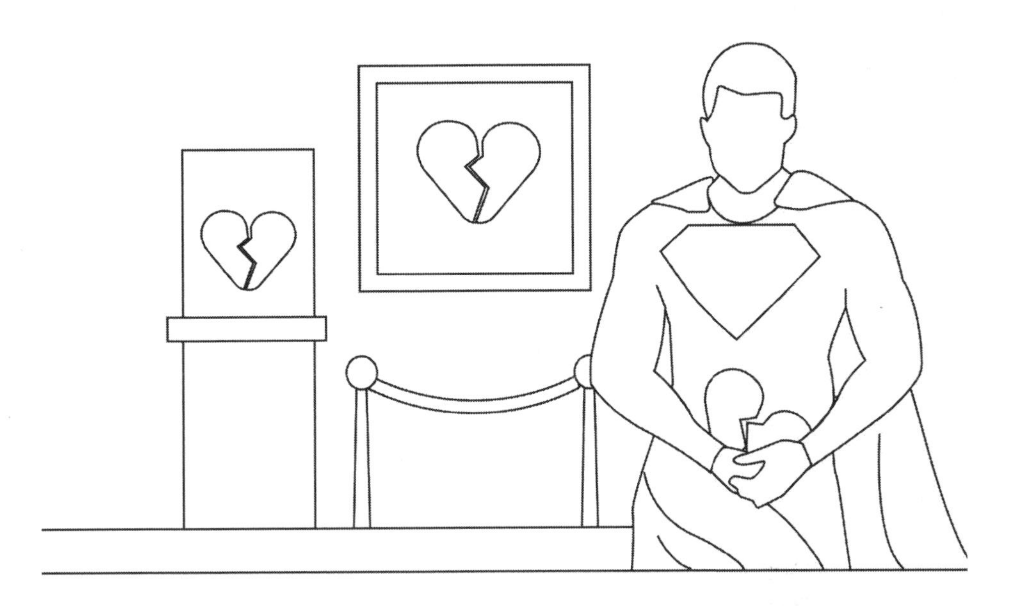

Marrant

570. En 2008, George Garrett, un jeune Anglais de 19 ans, a modifié son nom en « Capitaine Fantastique Plus Rapide Que Superman Spiderman Batman Wolverine Hulk et Flash réunis. »

571. En 2013, à Belo Horizonte au Brésil, des ouvriers de la route ont cimenté un camion après que son propriétaire a refusé de le déplacer.

572. À Tokyo, il existe une agence de voyages nommée « Unagi Travel » chez laquelle vous pouvez offrir un tour du monde à votre peluche.

573. En Europe, il y a un musée qui s'appelle le « Musée des relations rompues, » qui expose uniquement des objets ayant eu une valeur sentimentale pour d'anciens amants.

574. Le mème « over 9,000 » devenu viral

Funny

570. George Garrett, a nineteen year old man from England, changed his name to "Captain Fantastic Faster Than Superman Batman Wolverine The Hulk And The Flash Combined" in 2008.

571. In 2013, in Belo Horizonte, Brazil, construction workers permanently cemented a truck into a sidewalk after the owner refused to move it.

572. There's a travel agency in Tokyo called "Unagi Travel" that, for a fee, will take your stuffed animal on vacation around the world.

573. There's a museum in Europe called the "Museum of Broken Relationships" that exclusively displays objects that were meaningful to heartbroken exes.

574. The "over 9,000" meme that was

grâce à Dragon Ball Z était en fait une erreur de traduction. Le niveau de puissance était en fait plus de 8 000.

popularized from Dragon Ball Z was a translation error. The power level was actually over 8,000.

575. The Curiosity Rover s'est lui-même chanté la chanson Happy Birthday en 2013 pour célébrer le premier anniversaire de son arrivée sur la planète Mars.

575. The Curiosity Rover sang Happy Birthday to itself on Mars to commemorate the one year anniversary of landing on the planet in 2013.

576. Backpfeifengesicht est un mot allemand qui signifie « une tête qui a bien besoin de recevoir un coup de poing. »

576. Backpfeifengesicht is a German word that means a face that badly needs a punch.

577. En Thaïlande, si les policiers se conduisent mal, leur punition est de devoir porter des brassards rose bonbon Hello Kitty.

577. If police in Thailand misbehave, they're punished by being made to wear bright pink Hello Kitty armbands.

578. La population japonaise étant vieillissante, les ventes de couches pour adultes vont bientôt dépasser celles des couches pour bébés.

578. Due to the aging population in Japan, adult diaper sales are about to surpass baby diaper sales.

579. La station de métro Vystavochnaya à Moscou accepte qu'un passager fasse 30 squats en guise de substitut de ticket de transport, afin d'inciter la population à faire plus de sport.

579. The Vystavochnaya subway station in Moscow accepts thirty squats as payment for a metro ticket as an incentive to exercise more.

580. Durant l'ère victorienne, il y avait des tasses de thé spéciales qui permettaient d'éviter de tremper sa moustache dans le thé en buvant.

580. In the Victorian era, special tea cups that protected your mustache from getting dunked in your tea were used.

581. Il est impossible d'acheter des chewing-gums à Disneyland, car Walt Disney ne voulait pas que les gens marchent dessus en se baladant dans le parc.

581. Disneyland does not sell any gum. This is because Walt Disney didn't want people stepping in gum as they walked around the park.

582. En 2008, la chaîne de vêtements The North Face a poursuivi en justice une chaîne appelée « The South Butt. »

582. In 2008, The North Face clothing company sued a clothing company called "The South Butt."

583. L'Université de Bangkok en Thaïlande fait porter aux étudiants des casques anti-triche pendant les examens.

583. Bangkok University in Thailand makes their students wear anti-cheating helmets during exams.

584. En Australie, il y a un lac qui s'appelle « Lac Disappointment, » découvert et nommé par Frank Hann en 1897, qui espérait trouver un point d'eau fraîche mais trouva en fait un lac d'eau salée.

584. There's a lake in Australia called "Lake Disappointment" that was named and found by Frank Hann in 1897, who was hoping to find fresh water but instead found salt water.

585. Le 19 novembre est la journée internationale pour souhaiter une « mauvaise journée » aux gens que l'on croise.

585. International "have a bad day" day is November 19th.

586. La circulation dans Londres est aussi lente qu'au temps des calèches, au siècle dernier.

586. The traffic in London is as slow as the carriages from a century ago.

587. Avant l'invention des réveils, il existait le métier de « knocker up » qui consistait à aller réveiller les gens en tapant à leurs fenêtres et à leur porte avec de grands bâtons jusqu'à ce qu'ils se réveillent. Cela a duré jusqu'en 1920.

587. Before alarm clocks were invented, there was a profession called a "knocker up" which involved going from client to client and tapping on their windows or banging on their doors with long sticks until they were awake. This lasted till the 1920's.

588. En Alaska, il y a une ville qui s'appelle « Talkeetna » et qui possède un chat nommé Stubbs comme maire honorifique depuis 1997.

588. There is a town in Alaska called "Talkeetna" that has had a cat named Stubbs as its honorary mayor since 1997.

589. Mettre des sachets de thé séchés dans des chaussures qui puent ou dans un sac de sport est un moyen facile et efficace d'absorber les mauvaises odeurs.

589. Putting dry tea bags in smelly shoes or gym bags is an easy and quick way to absorb any unpleasant odors.

590. Selon un sondage de 2 500 participants, une personne passe environ 42 minutes aux toilettes par semaine, ce qui fait environ 92 jours dans une vie.

590. From the poll of 2,500 participants, the average person spends forty two minutes a week or almost ninety two days over a lifetime on the toilet.

591. Les fondateurs Bill Hewlett et David Packard ont tiré à pile ou face pour choisir si l'entreprise qu'ils allaient créer s'appellerait « Hewlett-Packard » ou « Packard-Hewlett. »

591. The founders Bill Hewlett and David Packard flipped a coin to decide whether the company they created would be called "Hewlett-Packard" or "Packard-Hewlett."

592. En 1860, Abraham Lincoln a laissé pousser sa barbe légendaire car il a reçu une lettre d'une fillette de 11 ans, Grace Bedell, qui lui a dit que toutes les femmes adoraient les hommes à barbe et qu'elles

592. In 1860, Abraham Lincoln grew his famous beard because he got a letter from an eleven year old girl named Grace Bedell who said that all ladies liked the whiskers and they would convince their

convaincraient leur mari de voter pour lui comme Président.

husbands to vote for him for President.

593. Donald Duck a été interdit en Finlande car il ne porte pas de sous-vêtements.

593. Donald Duck comics were banned from Finland because he isn't wearing any pants.

594. Les toutes premières toilettes modernes furent créées par Thomas Crapper, d'où la phrase « to take a crap » (couler un bronze).

594. The first ever modern toilet was created by Thomas Crapper, hence the phrase "to take a crap."

595. Il existe des pilules de paillettes dorées qu'on trouve sur Internet à 400 dollars, dont la promesse est de rendre vos excréments dorés.

595. There are gold glitter pills you can buy for $400 online that promise to turn your poop gold.

596. Le jour de la Saint-Valentin, en 2014, un groupe d'hommes célibataires de Shanghai a acheté tous les sièges impairs de la séance de cinéma diffusant le film Beijing Love Story. Ils ont fait ça pour que les couples ne puissent pas s'asseoir côte à côte et ainsi soutenir les personnes célibataires.

596. On Valentine's Day 2014, a group of single men in Shanghai bought every odd-numbered seat for a theater showing of Beijing Love Story. They did this to prevent couples from sitting together as a show of support for single people.

597. En 2014, le département des Transports du Colorado a été obligé de changer la borne kilométrique de 420 à 419,99 simplement pour dissuader les gens de voler le panneau.

597. In 2014, the Department of Transportation in Colorado was forced to change their mile marker from 420 to 419.99 just to get people to stop stealing their sign.

598. En Corée du Nord, les habitants doivent choisir entre 28 coupes de cheveux approuvées par le gouvernement.

598. In North Korea, citizens are forced to choose from one of twenty eight government approved haircuts.

599. En 2005, un homme du nom de Ronald McDonald a braqué un Wendy's à Manchester en Angleterre.

599. In 2005, a man named Ronald McDonald robbed a Wendy's in Manchester, England.

600. En 2013, Alan Markovitz, un homme de 59 ans, en colère contre sa femme qui l'avait trompé, a acheté une maison juste à côté de la sienne et a fait installer une statue géante d'une valeur de 7 000 dollars faisant un doigt d'honneur en direction de la maison de sa femme.

600. In 2013, a fifty nine year old man named Alan Markovitz was upset at his ex-wife for cheating on him, bought a house next to hers, and installed a giant $7,000 statue of a hand giving the finger aimed at her house.

Histoire et Culture History & Culture

601. La poignée de mains qu'on connaît aujourd'hui date du 5ème siècle avant J.-C. ; les épéistes se saluaient ainsi avec leur main libre de manière pacifiste.

601. The modern handshake dates all the way back to the 5th century B.C., where swordsmen would greet each other with their weapon hand free, showing no sign of a fight.

602. Le sceau sur le tombeau de Toutankhamon est resté intact pendant 3 245 ans, jusqu'en 1942.

602. The unbroken seal on Tutankhamun's Tomb went untouched for 3,245 years until 1942.

603. Un ancien poète persan a enregistré une fable racontant l'histoire d'un roi qui a mis les sages au défi de lui fabriquer un anneau qui le rendrait heureux lorsqu'il était triste et triste quand il était heureux. Ils ont réussi en lui donnant un anneau où était gravé : « This too shall pass » (« cela est éphémère »).

603. An ancient Persian poet recorded the fable of a king that challenged wise men to make him a ring that made him happy when he was sad and sad when he was happy. They succeeded by giving him a ring etched with the phrase: "This too shall pass."

604. Dans la Rome antique, l'espérance de vie était de seulement 20 à 30 ans.

604. The life expectancy in Ancient Rome was only twenty to thirty years.

605. Les auriges de la Rome antique

605. Ancient Roman charioteers earned

gagnaient plus d'argent que les athlètes internationaux aujourd'hui.

more money than what international sports stars get paid today.

606. L'une des clauses des Articles de la Confédération des États-Unis de 1781 stipule que si le Canada souhaite faire partie des États-Unis, la demande sera acceptée immédiatement.

606. One of the clauses in the 1781 US Articles of Confederation states that if Canada wants to be admitted into the US, it'll be automatically accepted.

607. La Rome antique était 8 fois plus peuplée que la ville de New York aujourd'hui.

607. Ancient Rome was eight times more densely populated than modern New York.

608. À Londres, pendant l'époque victorienne, le courrier était distribué 12 fois par jour.

608. In Victorian London, mail used to be delivered twelve times per day.

609. La Voie appienne est une voie romaine construite en 312 avant J.-C. que l'on emprunte encore aujourd'hui.

609. The Appian Way in Rome is a road that was built in 312 B.C. that is still used to this day.

610. Le plus grand empire ayant existé au monde fut l'Empire britannique, qui couvrait quasiment un quart de la planète lors de son apogée en 1920.

610. The largest empire the world has ever seen was the British Empire which covered almost a quarter of the planet in its peak in 1920.

611. Dans l'Athènes antique, première démocratie du monde, il existait un procédé nommé « ostracisme » donnant au peuple une fois par an le pouvoir de voter pour le politicien qui leur semblait le plus opposé au système démocratique. Cette personne était ensuite bannie d'Athènes pour 10 ans.

611. In ancient Athens, the world's first democracy, they had a process called "ostracism" where, once a year, the people could vote on the politician that they felt was the most destructive to the democratic process and that person was banished from Athens for ten years.

612. Autrefois les chats étaient sacrés en Egypte ; si l'on en tuait un, on risquait la peine de mort.

612. Cats used to be sacred in Egypt; if you killed one, you could be sentenced to death.

613. L'homme le plus riche de l'histoire était l'empereur Mansa Moussa ; sa richesse s'élevait à environ 400 milliards de dollars, en tenant compte de l'inflation.

613. The richest man in history was Emperor Mansa Musa's whose wealth is believed to have been around $400 billion when taking into account inflation.

614. Dans l'ancien Empire perse, les hommes débattaient des idées à deux reprises, une fois en étant sobre et une fois en étant ivre, car ils pensaient qu'une idée devait sembler bonne dans les deux états

614. In the ancient Persian Empire, men used to debate ideas twice, once sober and once drunk, as they believed an idea had to sound good in both states in order to be considered a good

pour être considérée comme une bonne idée.

idea.

615. En Inde, il y a une tribu appelée « War Khasi » qui transmet de génération en génération l'art de façonner les racines des arbres pour créer un système de ponts vivants.

615. There is a tribe in India called the "War Khasi" that has been passing down for generations the art of manipulating tree roots to create a system of living bridges.

616. Les femmes utilisent des tests de grossesse depuis 1350 avant J.-C. Autrefois, elles urinaient sur des grains de blé et d'orge pour savoir si elles étaient enceinte. Si le blé commençait à germer, l'enfant serait une fille ; si c'était l'orge, alors ce serait un garçon. La femme n'était pas enceinte si aucun des grains ne germait. Cette technique a été testée et s'est révélée juste plus de 70 % du temps.

616. Woman have been using pregnancy tests since 1350 B.C. They used to pee on wheat and barley seeds to determine if they were pregnant or not. If wheat grew, it predicted a female baby; and if barley grew, it predicted a male. The woman was not pregnant if nothing grew. This theory was tested and proved accurate 70% of the time.

617. La démocratie fut inventée en Grèce il y a 2500 ans.

617. Democracy was invented in Greece 2,500 years ago.

618. Autrefois, les Romains se servaient de leur urine pour se laver les dents et les rendre plus blanches. Ils n'avaient pas tort car l'urine contient de l'ammoniaque qui a des propriétés qui nettoient en profondeur.

618. Romans used urine to clean and whiten their teeth. They were actually onto something as urine contains ammonia which has a cleaning substance that results into clearing out everything.

619. Dans les années 1600, il y eut une période de « tulipomanie » aux Pays-Bas, où les tulipes valaient plus que l'or. Ce fut la toute première bulle spéculative. Quand les gens se sont rendu compte de la supercherie, la bulle a éclaté et le marché s'est effondré.

619. During the 1600's, there was "Tulip Mania" in Holland where tulips were more valuable than gold. This is the first reported economic bubble. When people came to their senses, the bubble burst and caused the market to crash.

620. Au début des années 1930, un mouvement social devenu populaire mais qui a fini par s'éteindre proposait de remplacer les politiciens et les hommes d'affaires par des scientifiques et des ingénieurs qui dirigeraient l'économie.

620. In the early 1930's, a social movement became popular although it eventually died out, which proposed replacing politicians and business people with scientists and engineers that could manage the economy.

621. Dans l'Égypte ancienne, les Égyptiens se rasaient les sourcils en signe de deuil pour leur chat défunt.

621. In ancient Egypt, the Egyptians shaved off their eyebrows to show grief from the death of their cat.

622. La pyramide de Khéops possède toujours des chemins secrets inexplorés.

622. There are still several unexplored hidden passages in the pyramids of Giza.

623. Theodore Roosevelt reçut une balle en 1912, juste avant de prononcer un discours. En voyant que la balle n'avait pas touché ses poumons puisqu'il ne crachait pas de sang, il a malgré tout décidé de prononcer son discours d'une durée de 90 minutes.

623. Teddy Roosevelt was shot in 1912 right before giving a speech. Noticing that it missed his lungs, since he wasn't coughing up blood, he proceeded to give the full ninety minute speech.

624. Les derniers mots du socialiste Karl Marx's avant de mourir en 1883 furent : « Allez-vous-en, les derniers mots sont pour ceux qui n'ont pas assez parlé. »

624. Socialist Karl Marx's final words before he died in 1883 were: "Go away, last words are for fools who haven't said enough."

625. La présidence la plus courte de l'histoire fut celle du président du Mexique Pedro Paredes qui fut président pendant moins d'une heure le 19 février 1913.

625. The shortest presidency in the history of the world was by President Pedro Paredes of Mexico, who ruled for less than one hour on February 19, 1913.

626. Les anciens Égyptiens utilisaient des repose-têtes faits de pierre à la place d'oreillers.

626. Ancient Egyptians used headrests made of stone instead of pillows.

627. 350 pyramides furent construites par les dirigeants des anciens royaumes koushites, le Soudan d'aujourd'hui.

627. There are 350 pyramids that were built by the rulers of the ancient Kushite kingdoms now known as Sudan.

628. En 2013, Héracléion, une ancienne citée de l'Égypte antique, fut découverte sous l'eau après avoir disparu il y a plus de 1200 ans dans la mer Méditerranée.

628. In 2013, a lost Egyptian city named Heracleion was discovered underwater after being lost for 1,200 years in the Mediterranean Sea.

629. En 1770, le Parlement britannique a fait passer une loi bannissant le rouge à lèvres, stipulant que toute femme séduisant un homme marié en portant du rouge à lèvres serait jugée pour sorcellerie.

629. In 1770, the British Parliament passed a law condemning lipstick, stating that any woman found guilty of seducing a man into matrimony by a cosmetic means would be tried for witchcraft.

630. Le « butt » était une unité médiévale de mesure pour le vin. Techniquement, un butt de vin représente 475 litres (125 gallons).

630. A "butt" was a medieval unit of measurement for wine. Technically, a butt-load of wine is 125 gallons (475 liters).

631. Les premiers diamants furent découverts en Inde, au 4ème siècle avant J.-C. Le second pays à en avoir découvert fut

631. The first ever diamonds were found in India in the 4th century B.C. The next country it was discovered in was Brazil in

le Brésil en 1725.

1725.

632. Dans les légendes japonaises, il y a une créature nommée « Asiarai Yashiki. » Il s'agit d'un pied géant très sale qui apparaît devant vous et exige que vous le laviez. Si vous n'obéissez pas, il ira saccager l'intérieur de votre maison.

632. In Japanese myth, there's a creature called "Asiarai Yashiki." It's a giant unwashed foot that appears before you and demands to be washed. If you don't wash it, it rampages through your house.

633. Les plus vieux instruments de musique datent d'il y a plus de 43 000 ans, c'étaient des flûtes faites d'os d'oiseaux et de mammouths.

633. The oldest instruments date back 43,000 years ago, which were flutes made out of bones from birds and mammoths.

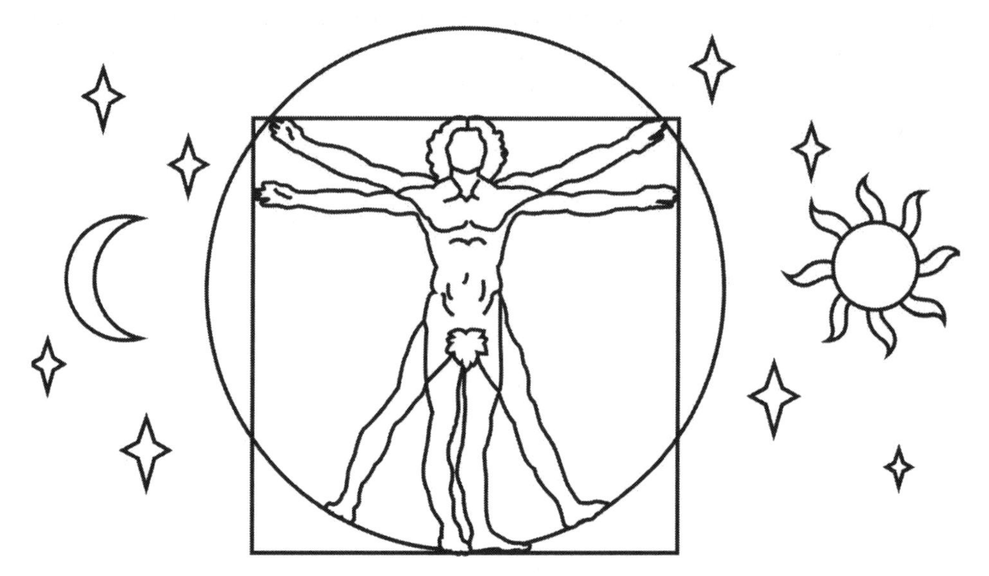

Corps Humain et Comportement Humain

Human Body & Human Behavior

634. Si un astronaute enlevait sa combinaison sur la lune, il exploserait avant même d'étouffer.

634. If an astronaut got out of his space suit on the moon, he would explode before he suffocated.

635. Il y a de minuscules créatures à huit pattes de la même famille que les araignées, qui vivent sur la peau de votre visage ; on les appelle « démodex. »

635. There are tiny eight legged creatures that are closely related to spiders living in the pores of your facial skin; they are called "demodex."

636. Contrairement à la croyance populaire, les taches blanches sur les ongles ne sont pas dues à un déficit en calcium, zinc ou quelqu'autre minéral. On appelle ça « leukonychia, » c'est sans danger et généralement dû à de très légères blessures lorsque l'ongle pousse.

636. Contrary to popular belief, white spots on fingernails are not a sign of a deficiency of calcium, zinc, or other vitamins in the diet. They're actually called "leukonychia," are completely harmless, and are most commonly caused by minor injuries that occur while the nail is growing.

637. Les téléphones portables émettent des ondes électromagnétiques qui réchauffent les tissus du corps humain et peuvent détériorer plus d'une centaine de protéines du cerveau.

637. Mobile phones emit electro-magnetic frequencies that heat body tissue and can affect over a hundred proteins in the brain.

638. L'AVC et l'infarctus ischémiques sont la première cause de décès au monde. Ischémique signifie qu'un organe ne reçoit pas assez de sang.

638. Ischaemic heart disease and stroke are the world's biggest killers. Ischaemic means an inadequate blood supply to an organ.

639. Une personne normale s'endort en seulement 7 minutes.

639. The average person will fall asleep in just seven minutes.

640. Si vous étiez dans l'espace, vous feriez quelques centimètres de plus à cause de la gravité.

640. You would be a few centimeters taller in space due to gravity.

641. Si l'on prenait le poumon d'un être humain et qu'on l'étalait au sol, il ferait la même surface qu'un court de tennis.

641. If you were to take out someone's lung and flatten it out, it would have the same surface area as one half of a tennis court.

642. Il y a dans votre corps assez de carbone pour fabriquer plus de 9 000 crayons à papier.

642. There is enough carbon in your body to make over 9,000 pencils.

643. L'hippocampe, qui gère la mémoire, est plus volumineux chez les femmes que chez les hommes.

643. The hippocampus, which is responsible for memory, is larger in women's brains than in men's.

644. L'être humain possède 23 paires de chromosomes alors que les grands singes en possèdent 24.

644. Humans have twenty three pairs of chromosomes while great apes have twenty four.

645. Quand on meurt, l'ouïe est le dernier sens à s'éteindre.

645. As a person dies, his or her hearing is the last sense to go.

646. Le cerveau humain peut gérer plus de mille informations à la fois, il est donc plus rapide que n'importe quel ordinateur.

646. The human brain can compute over a thousand processes per second, making it quicker than any computer.

647. Le son que l'on entend lorsque l'on place un coquillage sur notre oreille n'est pas le bruit de la mer mais le son du sang qui coule dans nos veines.

647. The sound you hear when you put a seashell next to your ear isn't the sea but your blood running through your veins.

648. L'information qui passe par votre cerveau se déplace à une vitesse de 430 kilomètres heure (268 miles).

648. The information travelling inside your brain is moving at 268 miles per hour (430 kilometers per hour).

649. Le corps humain possède deux organes qui ne cessent jamais de grandir : les oreilles et le nez.

649. There are only two parts on the human body that never stop growing, the ears and the nose.

650. Il existe une phobie nommée « complexe de Jonas, » qui est la peur de sa propre réussite, et qui empêche la personne d'atteindre son plein potentiel.

650. There's a phobia called the "Jonah complex" which causes a person to fear their own success, preventing them from reaching their full potential.

651. L'hyperthymésie est une maladie qui se caractérise par le fait de se souvenir de tous les détails de sa vie. Seulement 12 personnes sur la planète en sont atteintes.

651. There is a condition called "hyperthymesia" that causes the person to remember every single detail of their lives. Only twelve people on Earth have this condition.

652. Même si le cerveau est biologiquement développé à l'âge de 5 ans, la partie rationnelle du cerveau continue de croître jusqu'à 25 ans.

652. Although the brain is physically developed by the age of five, the rational part of a brain isn't fully developed and won't be until age twenty five.

653. L'adulte moyen possède 3,6 kgs (8 livres) de peau, soit 2 m² (22 pieds carrés).

653. The average adult has eight pounds (3.6 kilograms) or about twenty two square feet (two square meters) of skin.

654. Les êtres humains sont capables de ressentir les effets procurés par un cœur brisé. Le terme médical est une « cardiomyopathie de stress. » Si vous avez le cœur brisé, votre sang contient trois fois plus d'adrénaline que quelqu'un qui fait une crise cardiaque.

654. Humans are capable of feeling the effects of a broken heart. This is known as "stress cardiomyopathy" in medical terms. If you're suffering from a broken heart, your blood can have three times the amount of adrenaline than someone suffering from a heart attack.

655. Même 6 heures après la mort, les muscles du corps continuent d'avoir des spasmes.

655. Even after six hours of being dead, a person's muscles continue to spasm periodically.

656. On manque 10 % de tout ce que l'on voit en clignant des yeux.

656. We miss 10% of everything we see due to blinking.

657. Un terabyte contient 1 000 giga-bytes et la plupart des neuroscientifiques estiment que le cerveau humain peut contenir en 10 et 100 terabytes d'informations.

657. There are 1,000 gigabytes in a terabyte and most neuroscientists estimate that the human brain can hold between ten and 100 terabytes of information.

658. Le manque de sommeil provoque un effet secondaire appelé « micro-sommeil » où l'on s'endort pendant quelques secondes ou quelques minutes sans s'en rendre compte. C'est très dangereux car c'est l'une des causes principales d'accidents de la route.

658. There is a side effect of sleep deprivation called "microsleep" in which a person will fall asleep for a few seconds or even a few minutes without realizing it. It's extremely dangerous and is one of the largest contributors to accidents on the road.

659. Il existe un syndrome nommé « effet Tetris » qui survient lorsqu'une personne consacre tellement de temps et d'attention à une activité que celle-ci commence à modeler ses pensées, ses images mentales et ses rêves.

659. There's a syndrome called "Tetris Effect" that occurs when people dedicate so much time and attention to an activity that it starts to pattern their thoughts, mental images, and dreams.

660. Une étude menée en 2010 par l'Université de Loma Linda a conclu que le rire réduit non seulement le stress, mais accroît la production d'anticorps et détruit l'activité des cellules cancéreuses.

660. A study conducted by Loma Linda University in 2010 concluded that laughter not only reduces stress, but it increases the production of antibodies and kills the activity of tumor cells.

661. Pleurer est bénéfique pour la santé. Cela agit comme soutien émotionnel et réduit le stress, en plus de lubrifier les yeux et d'évacuer les toxines et poussières.

661. Crying is actually very healthy for you. It helps you emotionally, lubricates your eyes, removes toxins and irritants, and reduces stress.

662. Selon une étude menée par l'université canadienne Mekuin, jouer aux jeux-vidéo avant d'aller se coucher donne la capacité de contrôler ses rêves. Ceux qui jouent aux jeux-vidéo sont d'ailleurs plus enclins à faire des rêves lucides que ceux qui ne jouent jamais.

662. According to a study done by Mekuin University in Canada, playing video games before bedtime actually gives a person the ability to control their dreams. It also suggests that gamers are more likely to have lucid dreams as opposed to non-gamers.

663. Les enfants de deux paires de jumeaux identiques sont cousins au niveau légal mais frères et sœurs au niveau génétique.

663. The offspring of two identical sets of twins are legally cousins but genetically siblings.

664. L'atélophobie est la peur de ne pas être suffisamment bien et d'avoir des défauts.

664. Atelophobia is the fear of not being good enough or having imperfections.

665. Nous avons tous des rayures sur le corps, appelées « lignes de Blaschko, » qui peuvent être vues seulement sous rayons UV.

665. All humans have lines on our bodies called "Blaschko's lines" which can only be seen under certain conditions such as UV light.

666. La portée de l'ouïe humaine peut aller de 20 à 20 000 hertz. En dessous de 20 hertz, on aurait été capables d'entendre nos muscles bouger.

666. The human hearing range is from twenty to 20,000 hertz. If it was any lower than twenty, we'd be able to hear our muscles move.

667. Contrairement à la croyance populaire, se laver les mains à l'eau chaude ne tue pas plus de bactéries qu'à l'eau froide. Les bactéries meurent seulement dans l'eau

667. Contrary to popular belief, washing your hands in warm water doesn't kill any more bacteria than washing them in cold water. This is because bacteria only die

bouillante.

when water is boiling.

668. Le nez est directement relié à la zone de la mémoire du cerveau, c'est pourquoi les odeurs nous rappellent de vifs souvenirs.

668. The nose is connected to the memory center of your brain, hence why smell triggers some of the most powerful memories.

669. La clinomanie est l'envie excessive de rester au lit toute la journée.

669. Climonia is the excessive desire to stay in bed all day.

670. Les aveugles qui n'ont jamais eu l'usage de leurs yeux sourient alors qu'ils n'ont jamais vu quelqu'un le faire, car c'est une réaction humaine naturelle.

670. Blind people who have never seen before will still smile despite never having seen anyone else do it before because it's a natural human reaction.

671. Veronica Seider possède le record du monde Guinness de la meilleure vue. Elle voit 20 fois mieux qu'une personne normale, elle est capable d'identifier un visage à plus d'un kilomètre.

671. Veronica Seider holds the Guinness World Record for the best sight in the world. She can see twenty times better than the average person, being able to identify someone's face from one mile (1.6 kilometers) away.

672. Si vos yeux étaient un appareil photo numérique, ils possèderaient 576 mégapixels.

672. If your eye were a digital camera, it would have 576 megapixels in them.

673. Contrairement à la croyance populaire, se faire craquer les articulations ne fait pas de mal aux os et ne provoque pas d'arthrose. Le bruit est simplement dû aux bulles de gaz qui s'échappent ; cependant, le faire régulièrement peut altérer les tissus.

673. Contrary to popular belief, cracking your bones doesn't hurt your bones or cause you arthritis. It's simply the gas bubbles bursting that you hear; however, doing it too much does cause tissue damage.

674. Quand quelqu'un ment, la température de la région du nez augmente, on appelle ça l'effet Pinocchio.

674. When a person lies, they experience an increase in temperature around the nose known as the Pinocchio effect.

675. Il existe en réalité 7 différents types de jumeaux : Il y a les jumeaux identiques, fraternels, semi-identiques, miroirs, ou de chromosomes mêlés, ainsi que la superfécondation et la superfétation.

675. There are actually seven different types of twins. They are: identical, fraternal, half-identical, mirror image, mixed chromosome, superfetation, and superfecundation.

676. Mettre du sucre sur une plaie atténue la douleur et accélère la guérison.

676. Adding sugar to a wound will greatly reduce the pain and speed up the healing process.

677. Seulement 1 à 2 % de la population mondiale possède les cheveux roux.

678. Tout comme nos empreintes digitales, notre langue possède une empreinte unique.

679. Vous êtes né avec 270 os à votre naissance et vous en possédez 206 une fois adulte. Un quart des os se trouvent dans les mains et les poignets.

680. Toute la salive de la vie d'un être humain pourrait remplir deux piscines.

681. Les humains peuvent survivre sans oxygène pendant seulement trois minutes, sans eau pendant trois jours et sans nourriture pendant trois semaines.

682. La longueur des vaisseaux sanguins présents dans le corps humain correspondrait à 96 000 km (60 000 miles) si on les plaçait les uns après les autres.

683. Les fumeurs ont quatre fois plus de chances d'avoir des cheveux blancs que les non-fumeurs.

684. Les êtres humains possèdent la capacité de voir les rayons ultraviolets, cependant, ils sont filtrés automatiquement par notre cristallin. Les personnes qui subissent une ablation du cristallin peuvent donc voir les ultraviolets.

685. Péter aide à réduire la pression artérielle et est bon pour la santé en général.

686. Des études ont montré que les personnes ayant un esprit créatif ont plus de difficultés à s'endormir et préfèrent se coucher tard.

687. De nos jours, un lycéen ressentirait le même niveau de stress que les patients d'un asile psychiatrique des années 50.

677. Only 1 to 2% of the total world population are redheads.

678. Like fingerprints, our tongues all have unique prints.

679. You are born with 270 bones which form into 206 by the time you're an adult. A quarter of these are in your hands and wrists.

680. During the lifespan of a human, enough saliva can be created to fill up two swimming pools.

681. Humans can only live without oxygen for three minutes, water for three days, and food for three weeks.

682. The length of human vessels in the body equate to 60,000 miles (96,000 kilometers) if you lay them out from beginning to end.

683. Smokers are four times more likely to get grey hair in their lives than non-smokers.

684. All humans have the ability to see ultraviolet light, however, it's passively filtered through our lens. People who get surgery done to remove the lens are then able to see ultraviolet light.

685. Farting helps to reduce blood pressure and is good for overall health.

686. Studies have been shown that people with creative minds find it harder to fall asleep at night and prefer to stay up later.

687. Patients in an insane mental asylum in the 1950's have the same stress as the average high school student nowadays.

688. Chaque seconde, l'être humain perçoit 11 millions de bits d'informations, cependant, nous ne sommes conscients que d'environ 40 d'entre elles.

688. Humans take in eleven million bits of information every second, however, we're only aware of about forty of these things.

689. 95 % des décisions que l'on prend ont déjà été prises par notre subconscient.

689. 95% of the decisions you make have already been made up by your subconscious mind.

690. Quand vous atteignez l'âge de 2 ans, votre cerveau mesure déjà 80 % de la taille de celui d'un adulte.

690. By the time you are two, your brain is already 80% the size of an adult's.

691. Une personne moyenne possède 10 000 papilles gustatives, qui sont remplacées toutes les deux semaines.

691. The average person has 10,000 taste buds which are replaced every two weeks.

692. L'être humain peut avoir entre 12 et 60 000 pensées par jour, 80 % d'entre elles sont négatives.

692. Humans can have anywhere from twelve to sixty thousand thoughts per day with 80% of these thoughts being negative.

693. Le cerveau humain possède 100 milliards de neurones.

693. The human brain has 100 billion brain cells.

694. Chaque spermatozoïde contient environ 3 milliards d'informations génétiques, ce qui correspond à 750 mégabytes d'information numérique.

694. Each sperm contains about three billion bases of genetic information, representing 750 megabytes of digital information.

695. Il est impossible de manger sans salive. Car les enzymes des aliments sont d'abord dissoutes par la salive. Elles peuvent ensuite être détectées par les capteurs des papilles gustatives.

695. It's impossible to taste food without saliva. This is because chemicals from the food must first dissolve in saliva. Once dissolved, chemicals can be detected by receptors on taste buds.

696. Les astronautes pèseraient un sixième de leur poids dans l'espace.

696. Astronauts would weigh one sixth of their weight if they were in space compared to on Earth.

697. On ne peut pas inventer de nouveaux visages dans ses rêves, ce qui veut dire que tous les visages que vous avez vus en rêve sont des personnes que vous avez vues dans le monde réel.

697. You cannot invent faces in your dream, which means you've encountered every face you've seen in your dream in real life.

698. Dans la nuit, l'œil humain peut voir la flamme d'une bougie à une distance de 48

698. The human eye can see a candle flickering up to thirty miles (forty eight

kilomètres (30 miles).

kilometers) away on a dark night.

699. À la suite d'une mutation génétique, les premiers êtres humains à naître avec les yeux bleus sont apparus il y a entre 6 000 et 10 000 ans.

699. Due to a genetic mutation, the first blue eyed humans only began to appear six to ten thousand years ago.

700. Si vous ne vous considérez ni extraverti, ni introverti, vous êtes peut-être ambiverti, si vous vous sentez à la fois plutôt à l'aise en groupe et dans les interactions sociales, mais que vous appréciez aussi le temps passé seul loin de tous.

700. If you don't identify yourself as an extrovert or introvert, you may be an ambivert, which is a person moderately comfortable with groups and social interactions, but who also relishes time alone away from crowds.

701. Techniquement, nous vivons 80 millisecondes dans le passé car c'est le temps qu'il faut à notre cerveau pour traiter l'information.

701. We're technically living about eighty milliseconds in the past because that's how long it takes our brain to process information.

702. Le cerveau humain possède un biais de négativité qui nous pousse à chercher constamment les mauvaises nouvelles. C'est une caractéristique héritée de nos plus lointains ancêtres et qui serait un mécanisme de survie.

702. The human brain has a negativity bias causing us to continually look for bad news. It's an evolutionary trait that stem from early humans as a survival mechanism.

703. Seulement 2 % de la population mondiale possède les yeux verts.

703. Only 2% of the Earth's population has green eyes.

704. La faim enclenche une baisse du niveau de sérotonine, ce qui engendre un tourbillon d'émotions incontrôlables tels que l'anxiété, le stress et la colère.

704. Being hungry causes serotonin levels to drop, causing a whirlwind of uncontrollable emotions including anxiety, stress, and anger.

705. Si un corps d'adulte est enterré 2 mètres sous terre sans cercueil, il met entre 8 à 12 ans pour arriver à l'état de squelette.

705. When you're buried six feet down in soil and without a coffin, an average adult body normally takes eight to twelve years to decompose to a skeleton.

706. Le plus grand organe du corps est la peau.

706. The largest organ on the body is the skin.

707. Le cerveau humain utilise 20 % de l'énergie corporelle même s'il représente seulement 2 % du poids du corps.

707. The human brain uses 20% of the body's energy even though it's only 2% of the body's total weight.

708. Le cerveau des Néandertaliens était

708. The Neanderthal's brain was 10%

10 % plus gros que le nôtre (homosapiens), mais ils n'étaient pas aussi intelligents que nous. C'est parce que leur cerveau était principalement dédié à la vue alors que le nôtre est porté sur le raisonnement, la décision et l'interaction sociale.

bigger than ours, the homosapiens, but they were not as intellectual as us. This is because their brains were more devoted to vision while ours is devoted to reasoning, decision making, and social interaction.

709. Le corps humain possède des trillions de micro-organismes tels que les bactéries, nous en avons donc 10 fois plus que de cellules.

709. The human body contains trillions of microorganisms like bacteria, outnumbering human cells by ten to one.

710. Il existe un trouble psychologique appelé boanthropie qui fait croire à certaines personnes qu'ils sont des vaches. Ils essaient de se comporter comme des vaches.

710. People can have a psychological disorder called Boanthropy that makes them believe that they are a cow. They try to live their life as a cow.

Intéressant

711. Les lecteurs de codes barres lisent en fait l'espace situé entre les bandes noires, et non pas les bandes noires elles-mêmes.

712. Il existe une religion que l'on appelle « l'Athéisme chrétien; » ses pratiquants croient essentiellement aux mêmes choses que les chrétiens traditionnels, mis à part le fait qu'ils considèrent la Bible comme étant métaphorique et Dieu comme une allégorie représentant la moralité humaine et non pas comme un être vivant.

713. Une canette de Coca tombe au fond de l'eau alors qu'une canette de Coca light flotte.

714. En 1976, un étudiant médiocre de Princeton appelé John Aristotle Phillips a écrit un essai décrivant comment fabriquer une bombe nucléaire. Il a eu un « A » mais n'a jamais eu sa copie car elle a été récupérée par le FBI.

Interesting

711. Barcode scanners actually read the spaces between the black bars, not the black bars themselves.

712. There's a religion called "Christian Atheism" where practitioners believe in essentially the same things as traditional Christians, except that the Bible is completely metaphorical and that God is an allegory for human morality rather than a real being.

713. A can of regular coke will sink to the bottom of water while a can of diet coke will float.

714. In 1976, an underachieving Princeton student named John Aristotle Phillips wrote a term paper describing how to build a nuclear bomb. He received an "A," but never got his paper back as it was seized by the FBI.

715. Les centrales à charbon produisent 100 fois plus de radiations que les centrales nucléaires en produisant la même quantité d'énergie.

715. Coal power stations put out 100 times more radiation into the air than nuclear power plants producing the same amount of energy.

716. La maintenance par percussion est le terme technique désignant le fait de frapper un objet jusqu'à ce qu'il fonctionne.

716. Percussive maintenance is the technical term for hitting something until it works.

717. Dans les casinos de Las Vegas, il n'y a pas d'horloges, afin que les clients perdent la notion du temps et restent plus longtemps.

717. There are no clocks in the casinos of Las Vegas so customers lose track of time and stay in the premises longer.

718. Quand vous faites un coma éthylique, ce n'est pas que vous oubliez tout, c'est que votre cerveau n'enregistrait rien au départ.

718. When you get blackout drunk, you don't actually forget anything because your brain wasn't recording in the first place.

719. Le labeorphiliste est quelqu'un qui collectionne et étudie les étiquettes des bouteilles de bière.

719. Labeorphilist is the collection and study of beer bottle labels.

720. Les papes ne peuvent pas être donneurs d'organes : leur corps doit être enterré intact car il appartient à l'église catholique universelle.

720. Popes can't be organ donors because their entire body has to be buried intact as it belongs to the universal Catholic Church.

721. Il y avait des moutons dans Central Park jusqu'en 1934. Ils ont été déplacés durant la Grande Dépression car on craignait qu'ils soient mangés.

721. There used to be sheep that grazed in Central Park up until 1934. They were moved during the Great Depression as it was feared they'd be eaten.

722. L'halieutique est l'étude de la pêche.

722. Halieutics is the study of fishing.

723. On estime que seulement 8 % de l'argent mondial est réel. Le reste existe de manière électronique, sur des serveurs et des comptes bancaires.

723. It is estimated that only 8% of the world's total money is real. The rest exists electronically on computer hard drives and bank accounts.

724. Plus de 50 % de tous les tickets de lotos vendus sont achetés par seulement 5 % des acheteurs de tickets de loto.

724. Over 50% of all lottery tickets sold are bought by only 5% of people who buy lottery tickets.

725. Une étude menée par l'Université d'Oxford démontre qu'à chaque fois qu'on tombe amoureux de quelqu'un et qu'on lui laisse une place dans sa vie, on perd deux amis proches.

725. A study conducted by the University of Oxford found that for every person that you fall in love with and accommodate into your life, you lose two close friends.

726. Si vous ouvrez les yeux dans une pièce dans le noir complet, les couleurs que vous voyez s'appellent « eigengrau. »

726. If you open your eyes in a pitch-black room, the color you'll see is called "eigengrau."

727. Le Pentagone dépense plus de 250 000 dollars chaque année pour étudier le langage corporel des dirigeants du monde tel que Vladimir Poutine.

727. The Pentagon spends over $250,000 each year to study the body language of world leaders like Vladimir Putin.

728. Des études ont prouvé que fumer la chicha est aussi dangereux que de fumer des cigarettes, et peut même faire absorber au fumeur plus de substances toxiques que les cigarettes.

728. Studies have shown that smoking Hookah is no safer than smoking cigarettes and, in fact, may cause the smoker to absorb more toxic substances than cigarettes.

729. Le plus jeune pape à avoir été élu fut le Pape Benoît IX, né en 1012, à l'âge de seulement 12 ans.

729. The youngest Pope to ever be elected was Pope Benedict IX, born in 1012, who was only twelve years old.

730. En 2000, le KKK a acquis une partie de l'autoroute près de St Louis, l'État du Missouri a donc riposté en renommant la route Rosa Parks Highway.

730. In 2000, the KKK adopted a stretch of highway near St. Louis so the Missouri government responded by renaming the road Rosa Parks Highway.

731. La triskaïdékaphobie est la peur du nombre 13.

731. Triskaidekaphobia is the fear of the number 13.

732. Les gardes de Staline avaient si peur de lui que personne n'a appelé de médecin pendant plus de 10 heures après l'infarctus qui lui a causé la mort. Ils avaient peur que Staline guérisse et fasse exécuter toute personne ayant agi par sa propre volonté.

732. Stalin's guards were so afraid of him that no one called a doctor for over ten hours after he had originally had a stroke resulting in his death. They feared that he might recover and execute anyone who acted outside of his orders.

733. L'eccrinologie est l'étude des excrétions.

733. Eccrinology is the study of excretion.

734. Il y a une maladie qui s'appelle « anxiété des maths » qui fait que les personnes atteintes sont nulles en maths, non pas parce qu'elles ne sont pas bonnes en maths mais parce que cette maladie empêche le cerveau de comprendre les maths.

734. There is a condition called "math anxiety" which causes people to perform poorly in mathematics, not because they're ungifted in math, but because the condition causes their brain to enter such a state where they simply cannot perform math.

735. L'oïkologie est l'étude de l'habitat.

735. Oikology is the science of housekeeping.

736. Jonathan Lee Riches est entré dans le Livre Guinness des records en obtenant le record du plus grand nombre de procès avec un total de plus de 2 600.

736. A man named Jonathan Lee Riches got in the Guinness Book of World Records for having filed the highest number of lawsuits in the world with a total of over 2,600.

737. Un système de bourse existe avec les pirates en Somalie. Les locaux peuvent investir au sein d'un groupe de pirates et, après un braquage réussi, ils reçoivent une récompense. Une femme a un jour donné un RPG 7 à un groupe de pirates et a récolté 75 000 dollars.

737. A stock exchange system exists with pirates in Somalia. Locals can invest in a pirate group and, after a successful heist, they will receive a reward. In one instance a woman gave an RPG 7 to a pirate group and ended up receiving $75,000.

738. La papophobie est la peur du pape.

738. Papaphobia is the fear of the Pope.

739. Le « faux réveil » est le terme utilisé quand on se réveille d'un rêve qui semble réel alors qu'en fait on est toujours en train de dormir.

739. A false awakening is the term used for a vivid or convincing dream about awakening from sleep when in reality you're still sleeping.

740. Un éclair possède suffisamment d'énergie pour faire griller 100 000 tranches de pain.

740. One lightning bolt has enough energy to toast one hundred thousand slices of bread.

741. La réciprocité d'attraction est un terme psychologique pour décrire le moment où vous commencez à être attiré par quelqu'un quand vous découvrez qu'il est attiré par vous. C'est un phénomène qui prouve la manière dont les gens se sentent mieux dans leur peau et apprécient la compagnie de ceux qui leur procurent des émotions positives.

741. Reciprocal liking is a psychological term used to describe when you start liking someone after you find out that they like you. It's a phenomenon that reflects the way people feel better about themselves and enjoy the company of those that provide them with positive feelings.

742. La sternutaphobie est la peur d'éternuer.

742. Sternutaphobia is the fear of sneezing.

743. Les possibilités qu'un Américain soit tué par la foudre sont les mêmes qu'un Japonais se fasse tuer par balle.

743. The chances of an American being killed by lightning is the same chance a person in Japan has being shot and killed by a gun.

744. Une étude menée en 1915 par l'Université de Chicago a conclu que la couleur la plus facile à voir de loin est le jaune, c'est la raison pour laquelle c'est la couleur la plus en vogue chez les taxis.

744. A study done in 1915 by the Chicago University concluded that the easiest color to see from a distance was the color yellow, hence the most popular taxi color.

745. La chaologie est l'étude du chaos ou de la théorie du chaos.

745. Chaology is the study of chaos or chaos theory.

746. Être frappé par la foudre fait brûler la peau à 27 000 °C (50 000 °F), ce qui est plus chaud que la surface du soleil.

746. Getting hit by lightning heats up your skin to 50,000 degrees Fahrenheit (27,000 degrees Celsius), which is hotter than the surface of the sun.

747. Il existe le terme de « paradoxe de l'amitié » qui prouve qu'une personne moyenne a moins d'amis que ses amis.

747. There is term known as "friend paradox" where the average person has less friends than his friend.

748. La mine de Bingham Canyon, dans l'Utah, est le trou le plus grand jamais creusé par l'homme, d'une longueur d'1 km et d'une largeur de 4 km. Il couvre 770 hectares.

748. The Bingham Canyon Copper Mine in Utah is the largest man made hole at half a mile (one kilometer) deep and two miles (four kilometers) wide; it covers 770 hectares.

749. La deltiologie désigne la collection et l'étude de cartes postales.

749. Deltiology is the collection and study of picture postcards.

750. La chérophobie est la peur d'être heureux ou jovial en ayant la sensation que quelque chose de néfaste va se produire.

750. Cherophobia is the fear of being happy or joyful with the expectation that something bad will happen.

751. Le bruit généré par un fouet s'explique par le fait qu'il bouge plus vite que la vitesse du son, générant ainsi un petit bang sonique.

751. The reason a whip creates a whipping sound is because it's moving quicker than the speed of sound creating a small sonic boom.

752. On estime qu'environ 100 milliards de personnes sont décédées depuis l'apparition de l'Homo sapiens il y a 200 000 ans.

752. It is estimated that about 100 billion people have died since Homo sapiens appeared over 200,000 years ago.

753. Le lingot d'or le plus gros au monde pèse 250 kgs (551 livres).

753. The world's largest gold bar is 551 pounds (250 kilograms).

754. En 1979, des débris de la station spatiale Skylab de la NASA ont atterri dans la ville d'Esperance, à l'ouest de l'Australie, la ville a donc donné une amende de 400 dollars à la NASA pour avoir jeté des détritus. La NASA a payé l'amende.

754. In 1979, debris from NASA's Space Station Skylab crash landed in the town of Esperance, Western Australia, for which the town fined NASA $400 for littering. They actually paid it.

755. De nombreux refuges d'animaux n'acceptent pas les adoptions de chats noirs autour de la période d'Halloween parce que

755. Many animal shelters will not allow black cats to be adopted around Halloween time because most people

la plupart des gens les adoptent sur un coup de tête.

just buy them as impulse purchases.

756. La peur des clowns s'appelle la « coulrophobie. »

756. The fear of clowns is called "coulrophobia."

757. En 2011, Lego a produit 381 millions de pneus, c'est donc le plus gros producteur au monde de pneus en caoutchouc en termes d'unités créées.

757. In 2011, Lego produced 381 million tires, making them the world's largest rubber tire manufacturer by number of units produced.

758. Si vous cherchiez de l'or dans 17 tonnes de minerai d'or et dans une tonne d'ordinateurs, vous en trouveriez plus dans les ordinateurs.

758. If you went through seventeen tons of gold ore and one ton of personal computers, you'd find more gold from the personal computers.

759. 2 520 est le plus petit nombre qui peut être divisé par tous les chiffres entre un et dix.

759. Two thousand five hundred and twenty is the smallest number that can be divided by all numbers between one and ten.

760. Plus de la moitié de la population mondiale a moins de 30 ans.

760. More than half of the world's population is under the age of thirty.

761. Selon une étude menée par l'Université de Brock en Ontario, au Canada, le racisme et l'homophobie sont associés à un QI bas, car ceux dont l'intelligence est plus faible tendent à être plus favorable aux idéologies sociales conservatrices.

761. According to a study conducted by Brock University in Ontario, Canada, racism and homophobia are linked to having lower IQ, as those with lower intelligence tend to gravitate toward socially conservative ideologies.

762. L'anuptaphobie est la peur de ne pas se marier ou de se marier avec la mauvaise personne.

762. Anuptaphobia is the fear of either remaining unmarried or marrying the wrong person.

763. Une étude menée en 2011 par Angela Duckworth a démontré que la motivation modifie les tests de QI. En promettant une récompense financière, elle a découvert que plus le montant était élevé, plus le QI était élevé.

763. A study conducted in 2011 by Angela Duckworth proved that IQ tests can be affected by motivation. By promising subjects monetary rewards, she found that the higher the reward, the higher they scored on the IQ test.

764. Le dinar koweïtien est la monnaie la plus forte au monde, un dinar équivalent à 3,29 dollars.

764. The Kuwaiti Dinar is the strongest currency in the world with one Dinar equating to $3.29 USD.

765. Autrefois, les pirates portaient un cache-œil la journée afin de pouvoir mieux

765. Pirates used to wear eye patches on one eye during the day so they could see

voir la nuit avec cet œil-là.

better at night with that same eye.

766. Big Ben, à Londres, n'est pas la tour mais la cloche qui se trouve à l'intérieur.

766. Big Ben in London is not the tower but the bell inside.

767. Si les gens prenaient davantage le bus, un seul bus pourrait remplacer 40 voitures.

767. A bus can replace forty cars if people made the switch.

768. Les diamants ne sont pas si rares que ça. Une entreprise nommée « De Beers » possède 95 % du marché et ralentit l'approvisionnement afin de garder les tarifs élevés.

768. Diamonds are actually not that rare. A company called "De Beers" owns 95% of the market and suppresses supply to keep the prices high.

769. La campanologie est l'art de faire sonner les cloches.

769. Campanology is the art of bell ringing.

770. Les initiales de la chaîne de magasins de vêtements H&M signifient Hennes & Mauritz.

770. The clothing store H&M stands for Hennes & Mauritz.

771. La promesse du petit doigt vient du Japon ; à l'origine, si quelqu'un ne tenait pas sa promesse, il devait se couper le petit doigt.

771. The pinky swear came from Japan and indicated that if someone broke the promise, they must cut off their pinky.

772. La trypophobie est la peur des trous.

772. Trypophobia is the fear of holes.

773. La raison pour laquelle on porte traditionnellement l'alliance à l'annulaire gauche est qu'avant que la médecine découvre le fonctionnement de circulation du sang, on croyait qu'il y avait une veine qui reliait directement ce doigt au cœur.

773. The reason people traditionally put wedding rings on the left ring finger is because before medical science figured out how the circulatory system functioned, people believed that there was a vein that ran directly from the fourth finger of the left hand to the heart.

774. Tout ce qui fond peut se transformer en verre, cependant, il y aura des résidus du matériau à l'intérieur.

774. Anything that melts can be made into glass, however, there will be molten residue stuck to it.

775. La nicotine présente dans une bouffée de cigarette atteint le cerveau en 7 secondes. Cela prend environ 6 minutes pour l'alcool.

775. The nicotine from one puff of a cigarette reaches your brain in seven seconds. Alcohol takes approximately six minutes.

776. Les antibiotiques sont en réalité inefficaces contre les virus. Ils sont utiles seulement en cas d'infections

776. Antibiotics are actually ineffective against fighting viruses. They are only effective against bacterial infections.

bactériologiques.

777. L'essence augmente de volume si la température monte. Donc, quand vous faites le plein de votre voiture, il vaut mieux le faire le matin ou le soir quand il ne fait pas trop chaud, pour l'avoir au meilleur prix.

777. Oil expands with the rise of temperature, hence if you're filling your car up, it's best in the morning or late at night when it's not hot to get the most bang for your buck.

778. L'Organisation Mondiale de la Santé affirme qu'il y un milliard de fumeurs au monde et que 600 000 non-fumeurs meurent chaque année de tabagisme passif.

778. The World Health Organization states that from the one billion smokers in the world more than 600,000 people die every year from secondhand smoke.

779. Jusqu'aux années 30, la lettre « E » représentait une mauvaise note dans le système de notation américain, cependant, cela a été changé par la lettre « F » car les enseignants craignaient que les étudiants pensent que le « E » voulait dire excellent.

779. Until the 1930's, the letter "E" was used to represent a failing grade in the US, however, that was changed to "F" as professors began to worry that their students would mistake "E" for excellent.

780. Le terme signifiant que l'on oublie ce à quoi on pensait en changeant de pièce est un « événement de limite » (« event boundary »).

780. The term for forgetting something after walking through a doorway is called an "event boundary."

781. Utiliser de l'essuie-tout pour se sécher les mains enlève 40 % des bactéries alors que l'utilisation d'un sèche-mains augmente la quantité de bactéries de 220 %, car les bactéries se développent rapidement dans les environnements chauds et humides.

781. Using a paper towel after washing your hands decrease bacteria by 40% while using an air dryer increases the bacteria by up to 220%, as bacteria grow quickly in warm and moist environments.

782. La police d'un mot concerne la taille, mettre en gras ou en italique. Le style d'écriture s'appelle « police de caractère. »

782. The word font only refers to things like italics, size, and boldness. The style of the lettering is called a "typeface."

783. Si le 1er janvier d'une année bissextile tombe un dimanche, alors les mois de janvier, avril et juillet auront chacun un vendredi 13. Au 20ème siècle, cela s'est produit en 1928, 1956 et en 1984. Au 21ème siècle, cela se produira 4 fois, en 2012, 2040, 2068 et 2096.

783. If the 1st of January on a leap year falls on a Sunday, the months of January, April, and July will each have a Friday 13th. In the 20th century, this happened in 1928, 1956, and 1984. In the 21st century, this will happen four times in 2012, 2040, 2068, and 2096.

784. Le QI moyen tend à décliner depuis quelques décennies. C'est parce que les gens les plus intelligents font moins d'enfants.

784. The average IQ rate has been declining over recent decades. This is because smarter people are having less children.

785. Les poignées de porte en cuivre se désinfectent naturellement en huit heures, c'est ce qu'on appelle « l'effet oligodynamique. »

785. Brass door knobs automatically disinfect themselves in eight hours, which is known as the "oligodynamic effect."

786. Les écoles ne possédant pas de règles de conduite pendant les récrés voient une diminution du harcèlement, de blessures graves et de vandalisme, alors que le niveau de concentration en classe augmente. Ceci s'explique par le fait que moins il y a de règles, plus on doit réfléchir, tandis qu'obéir à une règle ne demande aucune réflexion.

786. Schools that ditch schoolyard rules are actually seeing a decrease in bullying, serious injuries, and vandalism, while concentration levels in class are increasing. This is because fewer rules requires critical thinking whereas simply obeying instructions requires very little critical thinking.

787. Il existe une seule station-service Shell en forme de coquille. 8 ont pourtant été construites dans les années 1930, mais il n'en reste qu'une située en Caroline du Nord.

787. There's only one Shell gas station shaped like a shell. Eight were built in the 1930s, but the only one left is in North Carolina.

788. Par beau temps, on peut voir 4 états du haut de la Willis Tower à Chicago ; elle se situe entre 40 et 50 miles de l'Illinois, de l'Indiana, du Michigan et du Wisconsin.

788. You can see four states from the top of Chicago's Willis Tower on a clear day; it's about 40 to 50 miles away, beyond Illinois and out to Indiana, Michigan, and Wisconsin.

789. Le col des chemises pour hommes était à l'origine amovible. Cela permettait de faire des économies de lessive, le col étant la partie qui nécessite le plus d'entretien.

789. The collars on men's dress shirts used to be detachable. This was to save on laundry costs as the collar was the part that needed cleaning the most frequently.

790. Les premières montagnes russes ont été utilisées pour acheminer du charbon jusqu'en bas d'une colline. Après que l'on a réalisé que cela pouvait atteindre une vitesse de 80 kilomètres par heure, des touristes ont demandé à monter à bord en échange de quelques centimes.

790. The first roller coaster was used to transport coal down a hill. After people found that it could reach speeds up to 50 miles per hour, tourists asked to ride on it for a few cents.

Inventions et Inventeurs

791. La mitrailleuse Gatling fut inventée par le docteur Richard Gatling, qui a remarqué que la majorité des décès de soldats durant la Guerre Civile faisaient non pas suite à des tirs de balles mais étaient dus à des maladies. En inventant une machine qui pouvait remplacer des centaines de soldats, il y aurait moins besoin de grandes armées et donc moins de risques de maladies et de blessures.

792. Le premier disque dur a été inventé en 1956 et pesait plus d'une tonne.

793. Thomas Edison a enseigné le Morse à sa seconde épouse, Mina Miller, pour qu'ils puissent communiquer discrètement en se tapotant les mains lors des réunions de famille.

794. L'inventeur Nikola Tesla et l'écrivain Mark Twain étaient meilleurs amis et étaient mutuellement fans de leurs travaux.

Inventions & Inventors

791. The Gatling gun was invented by Doctor Richard Gatling, who noticed that the majority of soldiers during the Civil War who died were due to disease, not gunshot wounds. By inventing a machine that could replace hundreds of soldiers, the need for large armies would be reduced thus diminishing exposure to battle and disease.

792. The first hard drive was invented in 1956 and weighed over a ton.

793. Thomas Edison taught his second wife, Mina Miller, Morse code so that they could communicate in secret by tapping each other's hands when their families were around.

794. Inventor Nikola Tesla and author Mark Twain were best friends and were mutual fans of each other's work.

795. L'homme qui a dessiné les plans du bunker secret de Saddam Hussein était le petit-fils de la femme qui a fait les plans de celui d'Adolf Hitler.

795. The man who designed Saddam Hussein's secret bunker was the grandson of the woman who designed Adolf Hitler's.

796. Manel Torres, un créateur de mode espagnol, a inventé le premier aérosol créateur de vêtement (ou de textile), que l'on peut porter, laver et porter à nouveau.

796. Manel Torres, a Spanish fashion designer, invented the world's first spray on clothing which can be worn, washed, and worn again.

797. En 1949, l'entreprise japonaise Prince motor company a élaboré une voiture électrique qui peut parcourir jusqu'à 200 km (124 miles) en une seule charge.

797. In 1949, the Prince Motor Company in Japan developed an electric car that could travel 124 miles (200 kilometers) on a single charge.

798. La « coupe de Pythagore » aussi appelée « coupe de Tantale, » est une coupe dont la forme renverse le vin si l'on en verse trop, incitant ainsi à la modération.

798. The "Pythagorean cup," also known as a "Greedy cup", is a cup designed to spill its content if too much wine is poured in, encouraging moderation.

799. Lors de sa mort en 1955, Einstein a refusé qu'on l'opère, en proclamant : «Je veux partir quand je le souhaite. C'est insipide de prolonger la vie artificiellement. J'ai fait mon temps, c'est le moment de partir. Je vais le faire avec élégance. »

799. When dying in 1955, Einstein refused surgery saying: "I want to go when I want, it's tasteless to prolong life artificially, I've done my share, it's time to go, I will do it elegantly."

800. Depuis 2019, le plus grand yacht au monde est l'Azzam, il mesure 180 m de long (la longueur de deux terrains de foot) et sa construction a coûté 600 millions de dollars. La construction, débutée en 2013, a duré 4 ans et a battu le précédent record de 17 m. Il possède une puissance de 94 000 chevaux-vapeur et peut monter jusqu'à 60 km par heure (37 miles), la vitesse la plus élevée pour un yacht de plus de 90 m (300 pieds).

800. As of 2019, the largest yacht in the world named Azzam is 590 feet long (the length of two football fields) and cost $600 million to build. It was created in 2013, taking four years to construct and beat the previous world record by a full fifty seven feet. It has 94,000 horsepower and can go up to thirty seven miles (sixty kilometers) per hour, the fastest speed for a yacht longer than 300 feet (ninety one meters).

801. La chaise électrique pour la peine de mort a été inventée par un dentiste.

801. The electric chair to execute people was created by a dentist.

802. En 2004, Volvo a instauré le concept de voitures « YYC, » créées spécifiquement pour les femmes car elles ne possèdent pas de capot et ont des pare-chocs résistants aux chocs.

802. In 2004, Volvo introduced a concept car called "YYC" that was built specifically for women without a hood and dent resistant bumpers.

803. Créé en Allemagne, ESSLack est le tout premier aérosol de peinture comestible, il existe en couleur or, argent, rouge, et bleu.

803. Created in Germany, ESSLack is the world's first edible spray paint that comes in gold, silver, red, and blue.

804. Il existe un dispositif « d'assistance ventriculaire » (VAD) qui peut remplacer votre cœur de manière définitive. Le seul inconvénient est de ne plus avoir de pouls.

804. There is a device known as "ventricular assist" device or VAD that can permanently replace the function of your heart. The only side effect is you have no pulse.

805. Il existe à présent des stylos numériques qui peuvent enregistrer tout ce que vous écrivez, dessinez ou gribouillez sur n'importe quel support.

805. There are now digital pens that can record everything you write, draw or sketch on any surface.

806. Les scientifiques du laboratoire ATR Computational Neuroscience Laboratories de Tokyo au Japon ont réussi à élaborer une technologie permettant de projeter les pensées sur l'écran d'un ordinateur.

806. Scientists from ATR Computational Neuroscience Laboratories in Tokyo, Japan, have successfully developed a technology that can put thoughts on a computer screen.

807. Quand Ferruccio Lamborghini, propriétaire d'un tracteur, a fait part de sa frustration concernant l'embrayage de sa Ferrari au créateur de la voiture, Enzo Ferrari, ce dernier l'a insulté en disant que le problème ne venait pas de la voiture mais du conducteur. Ferruccio a donc décidé de créer sa propre marque de voiture, c'est ainsi que la Lamborghini est née.

807. When tractor owner Ferruccio Lamborghini voiced his frustration over his clutch in the Ferrari to car's founder Enzo Ferrari, Enzo insulted him telling him that the problem was with the driver, not the car. Ferruccio decided to start his own car company and thus the Lamborghini was born.

808. En 1936, les Russes ont créé un ordinateur fonctionnant à l'eau.

808. In 1936, the Russians created a computer that ran on water.

809. Le papier bulle fut initialement créé en 1957 pour servir de papier peint.

809. Bubble wrap was originally invented in 1957 to be sold as wallpaper.

810. Le gilet pare-balles Kevlar fut inventé par un livreur de pizza après qu'il a reçu une balle à deux reprises pendant son service.

810. The Kevlar bulletproof vest was invented by a pizza delivery guy after being shot twice on the job.

811. La boîte de conserve fut inventée en 1810. L'ouvre-boîte fut inventé 48 ans plus tard. On a utilisé pendant tout ce temps un marteau et des ciseaux pour les ouvrir.

811. The tin can was invented in 1810. The can opener was invented forty eight years later. People used hammers and chisels between this time.

812. L'Ampoule centenaire qui se trouve à Livermore, en Californie, est allumée depuis

812. The Centennial Light Bulb in Livermore, California, has been burning

1901, c'est l'ampoule la plus ancienne qui fonctionne encore selon le Guinness des records. L'ampoule a au moins 113 ans et n'a été éteinte qu'en de rares occasions.

since 1901 and is the world's longest lasting light bulb according to the Guinness Book of World Records. The bulb is at least 113 years old and has only been turned off a handful of times.

813. Il a fallu un mois entier à Erno Rubik, l'inventeur du Rubik's cube, pour réussir à résoudre sa propre création.

813. It took a whole month for Erno Rubik, the inventor of the Rubik's cube, to solve his own creation.

814. Lors de l'été 1932, Adolf Hitler était au restaurant quand il a fait le plan du prototype qui deviendrait la première Volkswagen Beetle.

814. In the summer of 1932, while sitting in a restaurant, Adolf Hitler designed the prototype for what would become the first Volkswagen Beetle.

815. Volvo a inventé la ceinture de sécurité à trois points mais n'a pas déposé de brevet, laissant ainsi la possibilité aux autres fabricants de l'utiliser, car ils estimaient que c'était plus important de partager un outil qui sauverait des vies que d'en tirer profit.

815. Volvo invented the three point seat belt, but opened up the patent to any car manufacturer who wanted to use it, as they felt it had more value as a lifesaving tool than something to profit from.

816. Il existe une entreprise du nom de « True Mirror » qui fabrique des miroirs qui n'inversent pas le reflet et permettent donc ainsi de voir comment les autres nous voient.

816. There's a company called "True Mirror" that makes non reversing mirrors that show you how you actually appear to other people.

817. L'entreprise Neurowear vend un casque capable de lire les ondes cérébrales et de sélectionner la musique selon l'état d'esprit dans lequel vous vous trouvez.

817. There's a company named Neurowear that sells a headphone that can read your brainwaves and selects music based off your state of mind.

818. En 2007, Mike Warren-Madden a créé un objet nommé « Aquatic Pram » (« poussette aquatique »), qui permet de promener votre poisson rouge.

818. In 2007, a man named Mike Warren-Madden designed a device called the "Aquatic Pram" that allows you to take your fish for a walk.

819. Le briquet fut inventé avant les allumettes.

819. The lighter was invented before the matchstick.

Enfants

820. Un nouveau-né possède environ 240 ml de sang dans le corps.

821. Certains rapports prouveraient qu'un bébé sur huit aurait été donné aux mauvais parents lors de leur séjour à l'hôpital.

822. En Arménie, tous les enfants de plus de 6 ans apprennent les échecs à l'école, cela est obligatoire dans le programme qu'ils suivent.

823. En Islande, il est interdit de donner à votre enfant un nom qui n'a pas été approuvé par le Comité des noms islandais.

824. En 2013, la France a interdit les concours de beauté pour enfants car cela encourage l'hypersexualisation des mineurs. Quiconque organise un tel concours risque jusqu'à deux ans de prison et une amende de 30 000 euros.

825. Un élève de CM1 de 7 ans fut renvoyé

Kids

820. A newborn baby has about one cup of blood in their entire body.

821. Some estimates report that one in eight babies is given to the wrong parents at some point during their hospital stay.

822. In Armenia, all children age six and up are taught chess in school as a mandatory part of their curriculum.

823. In Iceland, it's forbidden to give your child a name that hasn't been approved by the Icelandic naming committee.

824. In 2013, France banned child beauty pageants because they promote the hypersexualization of minors. Anyone who organizes such a pageant could face jail time for up to two years and a fine of up to 30,000 euros.

825. A seven year old second grader

pour avoir croqué dans un Pop-Tart pour faire la forme d'une montagne, car le personnel de l'école y a vu la forme d'une arme.

was suspended for biting a pop tart into the shape of a mountain which school officials mistook for a gun.

826. Les briques de Lego possèdent des trous afin qu'un enfant qui en avalerait un par mégarde puisse respirer.

826. The reason Lego heads have holes in them is so air can pass through them if a child ever swallows one.

827. Au Québec, en Suède et en Norvège, il est interdit de faire de la pub destinée aux enfants, ceci dans le but d'empêcher les entreprises de pousser les enfants à supplier leurs parents de leur acheter des choses.

827. In Quebec, Sweden, and Norway, it's illegal to advertise directly to children. This is to prevent companies from encouraging children to beg their parents to buy them stuff.

828. Une étude menée par le Bureau of Economic Research a conclu que l'aîné d'une fratrie a un QI plus élevé que ses frères et sœurs.

828. A study done by the Bureau of Economic Research concluded that first born children have higher IQs than their younger siblings.

829. Dans une étude visant à améliorer les conditions de vie des enfants dans les hôpitaux, des chercheurs de l'Université de Sheffield ont interrogé 250 enfants à propos de leur opinion concernant les clowns. Tous les enfants ont répondu qu'ils ne les aimaient pas ou qu'ils en avaient peur.

829. In a study to improve hospital design for children, researchers from the University of Sheffield polled 250 children regarding their opinions of clowns. Every single one reported disliking or fearing them.

Langues

830. Autrefois, le café était si important dans la culture turque que le mot « petit-déjeuner » se traduit littéralement par « avant le café » et le mot « marron » se traduit par « couleur du café. »

831. L'allemand était autrefois la deuxième langue la plus parlée aux États-Unis avant d'être fortement restreinte durant la Première Guerre mondiale.

832. « Almost » est le mot anglais le plus long dont les lettres sont dans l'ordre de l'alphabet.

833. L'alphabet hawaïen possède seulement 12 lettres : a, e, i, o, u, h, k, l, m, n, p, et w.

834. En anglais, le mot orange fut le nom du fruit plusieurs centaines d'années avant que la couleur porte le même nom. Avant ça, la couleur était nommée yee-o-ler-eed.

Languages

830. Coffee was so influential in early Turkish culture that the word for "breakfast" literally translates to "before coffee", and the word "brown translates" to "the color of coffee."

831. German used to be the second most widely spoken language in the United States before it was forcibly repressed during World War One.

832. "Almost" is the longest English word in alphabetical order.

833. The Hawaiian alphabet only has twelve letters. They are a, e, i, o, u, h, k, l, m, n, p, and w.

834. The English word orange was the name of the fruit for a few hundred years before the color was later named after the fruit. Before that what we now know as

orange was known as yee-o-ler-eed.

835. Depuis les débuts de la communication, on estime que 31 000 langues ont existé.

835. Since the beginning of communication, it has been estimated that 31,000 languages have existed.

836. Le mot « muggle » (moldu) fut ajouté au dictionnaire et signifie une personne sans talent particulier.

836. The word "muggle" was added to the English dictionary and is defined as a person lacking a particular skill.

837. Noah Webster, créateur du tout premier dictionnaire américain, a appris 26 langues afin de pouvoir comprendre et chercher les origines de sa langue maternelle avant de le rédiger.

837. Noah Webster, the creator of the first ever American dictionary, learned twenty six languages so that he could understand and research the origins of his own country's tongue in order to write it.

838. En anglais, le mot « jay » (geai) était autrefois un mot très informel pour désigner quelqu'un de stupide ou d'inintéressant. Ainsi, quiconque ne respectant pas la circulation des voitures et traversait n'importe où se faisait appeler « jay walker » (piéton indiscipliné).

838. The word "jay" used to be used as slang for a dull or stupid person, so when anyone ignored traffic regulations and crossed roads illegally, the person would be called a "jay walker."

839. En anglais, « overmorrow » signifie après-demain.

839. Overmorrow is a word that means the day after tomorrow.

840. En anglais, « uncopyrightable » est le plus long mot courant ne contenant pas de lettres doubles. Le mot « subdermatoglyphic » est plus long mais n'est employé que par les dermatologues.

840. "Uncopyrightable" is the longest normal word you can use that doesn't contain repeat letters. "Subdermatoglyphic" is longer, however, it's only used by dermatologists.

841. Le plus long palindrome anglais est « Sir, I demand, I am a maid named Iris. » La phrase peut se lire dans les deux sens.

841. "Sir, I demand, I am a maid named Iris" is the longest palindrome, that is, it makes the same sentence if you say it backwards.

842. Le mandarin est la langue la plus parlée au monde, elle est parlée par 1,1 milliards de personnes.

842. Mandarin is the most spoken language in the world with 1.1 billion speakers.

843. Les mots Tokyo, Pékin, et Séoul se traduisent par « capitale. »

843. The words Tokyo, Beijing, and Seoul all translate to "capital" in English.

844. Le champion du monde de Scrabble français ne parle même pas français.

844. The French-language Scrabble World Champion doesn't actually speak French.

Nigel Richards a entièrement mémorisé le dictionnaire du Scrabble en 9 semaines ; il contient 386 000 mots.

Nigel Richards memorized the whole French Scrabble dictionary, which contains 386,000 words, in nine weeks.

845. Le mot « Googol » est un terme mathématique désignant un grand nombre suivi de 100 zéros.

845. The term "Googol" is actually a mathematical term for a very large number which is one followed by one hundred zeroes.

846. Le terme « échec et mat » aux échecs vient de l'arabe « Shah Mat » qui signifie « le roi est mort. »

846. The word "Check Mate" in chess comes from the Arabic "Shah Mat," which means the king is dead.

847. Le mot russe « vodka » signifie « petite eau. »

847. Vodka in Russian translates to "little water" in English.

848. La langue écrite fut à la fois inventée par les Mayas, les Égyptiens, les Chinois et les Sumériens.

848. Written language was invented by the Mayans, Egyptians, Chinese, and Sumerians independently.

849. Selon les experts, New York abriterait plus de 800 langues, c'est donc la ville possédant le plus de diversité linguistique au monde.

849. Experts believe that New York is home to as many as 800 languages, making it the most linguistically-diverse city in the world.

850. Ioannis Ikonomou, le traducteur en chef de la Commission européenne, sait parler 32 langues. Sa langue natale est le grec, et il est le seul traducteur interne de la Commission européenne à qui l'on confie la traduction de documents chinois secrets.

850. Ioannis Ikonomou, the Chief Translator in the European Commission, can speak thirty two different languages. His native language is Greek, and he's the only in-house translator in the European Commission who's trusted to translate classified Chinese documents.

851. Comme toutes les langues, la langue des signes possède différents accents selon l'âge, le pays et l'ethnie de la personne mais aussi selon si elle est sourde ou pas.

851. Just like all languages, sign language has different accents based on country, age, ethnicity, and whether the person is deaf or not.

852. Aujourd'hui, on parle environ 6 500 langues dans le monde, cependant, 2 000 d'entre elles sont seulement parlées par 1 000 personnes ou moins.

852. There are approximately 6,500 languages spoken in the world today, however, 2,000 of those languages only have 1,000 speakers or less.

853. Le syndrome de pédanterie grammaticale est une forme de trouble obsessionnel compulsif qui pousse la personne à corriger toutes les fautes de

853. Grammatical Pedantry Syndrome is a form of OCD in which sufferers feel the need to correct every grammatical error they see.

grammaire qu'elle voit.

854. Le point sur le « j » et le « i » s'appelle le « iota. »

854. The dot over the "j" or "i" is called a "tittle."

855. « I am » est la phrase la plus courte de la langue anglaise.

855. "I am" is the shortest English sentence.

856. L'écossais possède près de 400 mots différents pour désigner la « neige. »

856. Scotland has more than 400 words for "snow."

Nature, Terre et Univers

Nature, Earth & The Universe

857. Si l'on enlevait tous les espaces vides entre les atomes de chaque être humain, tous les êtres humains de la planète pourraient tenir dans une pomme.

857. If you removed all the empty space from the atoms that make every human on Earth, all humans could fit into an apple.

858. La superficie de l'Amérique du Sud est plus grande que celle de Pluton.

858. The surface area in South America is greater than that of Pluto's.

859. La plus grande espèce vivante sur Terre est la Grande barrière de corail, elle mesure 2 000 km (1 200 miles).

859. The largest living creature on Earth is the Great Barrier Reef, which measures 1,200 miles (2,000 kilometers) long.

860. Le Soleil et la Lune nous semblent être de la même taille dans le ciel à cause d'une coïncidence extraordinaire : la Lune est 400 fois plus petite que le Soleil, mais aussi 400 fois plus proche.

860. The sun and the moon appear to be the same size in our sky because of the amazing coincidence that the moon is 400 times smaller, but also 400 times closer.

861. La graphène est du carbone pur qui a la forme d'une feuille très fine et transparente, de la taille d'un atome. C'est le matériau le plus solide au monde, 1 million de fois plus fin que du papier, mais 200 fois

861. Graphene is pure carbon in the form of a very thin, nearly transparent sheet, only one atom thick, and it's the world's strongest material. It's one million times thinner than paper, but 200 times stronger than steel.

plus solide que l'acier.

862. La Terre est la seule planète à ne pas posséder un nom de divinité.

862. Earth is the only planet not named after a god.

863. Il y a plus d'organismes vivants dans une cuillère de terre qu'il y a d'êtres humains sur Terre.

863. There are more living organisms in a teaspoon of soil than there are humans in the world.

864. Le plus grand volcan de notre système solaire est aussi la plus haute montagne du système solaire. C'est le Mont Olympe sur Mars, dont la hauteur est trois fois supérieure à celle du Mont Everest.

864. The largest volcano in our Solar System is also the largest mountain in the Solar System. It is Olympus Mons on Mars which is three times the height of Mt. Everest.

865. Plus de 20 % de l'oxygène de la planète provient de la forêt amazonienne.

865. More than 20% of the world oxygen is produced in the Amazon rainforest.

866. Puisque Vénus n'est pas sur un axe incliné comme la Terre, elle ne possède pas de saisons.

866. Since Venus is not tilted on an axis like the Earth, it experiences no seasons.

867. La plus grande grotte au monde se trouve au Vietnam, elle s'appelle la « Grotte Son Doong. » Elle fait 9 km (6 miles) de longueur et l'intérieur est si spacieux qu'elle possède ses propres nuages et forêts. En fait, le plafond est si haut qu'un gratte-ciel de 40 étages pourrait y tenir.

867. The largest cave in the world is in Vietnam and it's called the "Son Doong Cave." It's just under six miles (nine kilometers) long, and its interior is so big that it has its own clouds and forests. In fact, its ceiling is so high that you can fit an entire forty-story skyscraper inside.

868. À l'ouest de l'Australie il y a un lac qui s'appelle le « Lac Hillier » dont l'eau est naturellement rose.

868. There's a lake in Western Australia called "Lake Hillier" that has water that's naturally pink.

869. Un tiers de la surface de la Terre est partiellement ou entièrement déserte.

869. One-third of the Earth's surface is partially or total desert.

870. Le plus vieil organisme vivant existant est la cyanobactérie, un type de bactéries datant de 2,8 milliards d'années.

870. The oldest living system ever recorded is the Cyanobacterias, a type of bacteria that originated 2.8 billion years ago.

871. Le mot « Sahara » signifie désert en arabe, donc « désert désert » en arabe. Il a d'ailleurs neigé une fois dans le Sahara, en 1979.

871. The word "Sahara" in Arabic means desert, so "Desert Desert" in Arabic. It also once snowed in the Sahara back in 1979.

872. 59 jours sur Terre correspondent à une journée sur Mercure.

872. Fifty nine days on Earth is the equivalent of one on Mercury.

873. Il y a un trou dans la couche d'ozone juste au-dessus de l'Antarctique, d'une taille deux fois supérieure à la superficie de l'Europe.

873. There is a hole in the ozone layer sitting right above Antarctica that is twice the size of Europe.

874. La plus grande lune de Saturne, Titan, possède une atmosphère si épaisse et une gravité si faible qu'on pourrait s'attacher des ailes et voler librement.

874. Saturn's largest moon named Titan has an atmosphere so thick and gravity so low that you can actually fly through it by flapping any sort of wings attached to your arms.

875. Entre 350 et 420 millions d'années, avant que les arbres ne peuplent la Terre, celle-ci était couverte de champignons géants.

875. Around 350 to 420 million years ago, before trees were common, the Earth was covered in giant mushroom stalks.

876. L'odeur qui émane du sol après la pluie s'appelle « petrichor. »

876. The scent that lingers after it rains is called "petrichor."

877. On estime que l'hélium présent sur Terre sera épuisée d'ici 20 à 30 ans.

877. It's estimated that the world's helium supply will run out within the next twenty to thirty years.

878. Le bassin du Witwatersrand est la région du monde contenant le plus d'or. Plus de 40 % de l'or récolté provient de ce bassin.

878. The Witwatersrand Basin was the densest area containing gold in the world. More than 40% of all the gold ever mined has come out of the Basin.

879. Si vous alliez sur Mars, vous pèseriez un tiers de moins à cause de la plus faible gravité.

879. You would lose a third of your body weight on Mars due to lower gravity.

880. La plus grande lune de notre système solaire s'appelle « Ganymède, » elle est plus grosse que Mercure.

880. The biggest moon in our solar system is called "Ganymede" which is bigger than the planet Mercury.

881. L'Antarctique est considérée comme un désert car il n'y tombe que 50 ml (2 pouces) de précipitations par an.

881. Antarctica is considered a desert as it only receives two inches (fifty millimeters) of precipitation a year.

882. L'astate est l'élément le plus rare au monde, la croûte terrestre n'en possède que 30 grammes au total.

882. Astatine is the rarest element in the world with only thirty grams total in the Earth's crust.

883. Angel Falls est une cascade au Venezuela connue pour être la plus haute chute d'eau du monde, avec une hauteur de

883. Angel Falls is a waterfall in Venezuela that is the world's highest uninterrupted waterfall at a height of 3,200 feet (979

979 m (3 200 pieds).

meters).

884. Le navigateur portugais Ferdinand Magellan a choisi le nom de l'océan Pacifique en raison de la tranquillité de l'océan. Pacifique signifiant paisible.

884. Portuguese navigator Ferdinand Magellan named the Pacific Ocean due to the calmness of the ocean. Pacific translates to peaceful.

885. La zénographie est l'étude de la planète Jupiter.

885. Zenography is the study of the planet Jupiter.

886. Les astronautes à bord de la Station Spatiale Internationale voient 15 levers de soleil et 15 couchers de soleil par jour ; en moyenne, il s'en produit un toutes les 45 minutes, à cause de la faible distance entre la station et la Terre ainsi que de la vitesse de son orbite.

886. Astronauts aboard the International Space Station see fifteen sunrises and fifteen sunsets a day averaging one every forty five minutes due to the station's proximity to the Earth and the speed of its orbit.

887. Plus de 50 % de l'oxygène que l'on respire provient de la forêt amazonienne.

887. Over 50% of the oxygen supply we breathe comes from the Amazon rainforest.

888. Le plus grand océan sur Terre est l'océan Pacifique, qui couvre 30 % de la planète.

888. The largest ocean on Earth is the Pacific Ocean covering 30% of the globe.

889. 90 % de la glace présente sur Terre se trouve en Antarctique.

889. 90% of the Earth's ice is in Antarctica.

890. Sur Uranus et Neptune, il pleut des diamants.

890. It rains diamonds on the planets Uranus and Neptune.

891. On en sait plus sur la surface de la lune que sur nos propres océans.

891. We know more about the surface of the moon than we do about our own oceans.

892. Dans la rivière du Mékong en Thaïlande, il existe un phénomène où des boules de feu rouges appelées « Nâgas » jaillissent, et personne n'en connait la raison.

892. There's a phenomenon that occurs in the Mekong River in Thailand where red fireballs called "Naga Fireballs" randomly shoot into the air and nobody knows why it happens.

893. Seulement 30 % de la Terre est recouverte de terre.

893. Only 30% of the Earth is covered by land.

894. Le plus grand pont naturel au monde est le pont maritime en Chine ; le monde n'en avait pas connaissance jusqu'à ce qu'il soit découvert sur Google Maps.

894. The largest natural bridge in the world is the Ferry Bridge in China; it was virtually unknown to the rest of the world until it was observed on Google Maps.

895. Les tourbillons de feu, aussi appelés tornades de feu, sont des tourbillons de flammes qui se produisent dans les pays où il peut faire très chaud, comme en Australie.

895. Fire whirls, also known as fire tornadoes, are whirlwinds of flame that occur in countries where it's sufficiently hot enough such as Australia.

896. Les scientifiques ont découvert une planète grâce au télescope Hubble, une planète d'un bleu azur profond située à 63 années lumière et sur laquelle il pleut du verre à l'horizontale.

896. Scientists have discovered a planet using the Hubble telescope, a deep azure blue planet sixty three light years away that rains glass sideways.

897. Si le Soleil était réduit à la taille d'une cellule, la Voie Lactée ferait la taille des États-Unis.

897. If the sun was scaled down to the size of a cell, the Milky Way would be the size of the United States.

898. Pluton est plus petite que la Russie.

898. Pluto is smaller than Russia.

899. Au Canada, Hudson Bar a une gravité plus faible que le reste de la Terre. On ne sait pas exactement pourquoi mais les scientifiques pensent que c'est à cause de la convection se produisant dans le manteau terrestre.

899. Hudson Bar in Canada, has less gravity than the rest of the Earth. It's unsure exactly why, but scientists hypothesize that it has something to do with the convection occurring in the Earth's mantle.

900. Sur la planète Vénus, il neige du métal.

900. On the planet Venus it snows metal.

901. Il y a entre 100 et 400 milliards d'étoiles dans la Voie Lactée et plus de 100 milliards de galaxies dans l'univers.

901. There are 100 to 400 billion stars in the Milky Way and more than 100 billion galaxies in the Universe.

902. Les astronomes ont découvert ce qui semble être la plus vieille étoile de l'Univers, située à 6 000 années lumière de la Terre. Cette vieille étoile se serait formée peu après le Big Bang, il y a 13,8 milliards d'années.

902. Astronomers have found what appears to be one of the oldest known stars in the universe which is located about 6,000 light-years away from Earth. The ancient star formed not long after the Big Bang, 13.8 billion years ago.

903. Selon les scientifiques, un nuage pèse en moyenne le même poids que 100 éléphants.

903. According to scientists, the weight of the average cloud is the same as 100 elephants.

904. La plus haute température jamais enregistrée sur Terre fut à El Azizia le 13 septembre 1922, avec une température de 58°C (136°F).

904. The highest temperature ever recorded on Earth was in El Azizia on September 13, 1922, at 136 degrees Fahrenheit (fifty eight degrees Celsius).

905. Le tremblement de terre le plus

905. The largest earthquake recorded was

puissant fut enregistré au Chili en 1960. Il était placé à 9,4 - 9,6 sur l'échelle de Richter et a duré 10 minutes.

in Chile in 1960. It was placed at 9.4-9.6 on the magnitude scale and lasted for ten minutes.

906. La quantité d'eau sur Terre reste la même, cependant, d'ici 1 milliard d'années, le soleil brillera 10 % plus fort, ce qui augmentera la température et fera disparaître l'eau de la Terre.

906. The amount of water on Earth is constant, however, a billion years from now, the Sun will be 10% brighter, increasing the heat and causing Earth to lose all its water.

907. Le Challenger Deep dans les îles Mariannes est le point le plus profond des océans sur Terre connu à ce jour, il se situe à 10 994 m de profondeur (36 060 pieds).

907. The Challenger Deep in the Mariana Trench is the deepest point in Earth's oceans that we know about at 36,060 feet (10,994 meters).

908. Le sable du Sahara est poussé par le vent et atteint l'Amazone, lui apportant ainsi des minéraux. Le désert fertilise littéralement la forêt amazonienne.

908. Sand from the Sahara is blown by the wind all the way to the Amazon, recharging its minerals. The desert literally fertilizes the rainforest.

909. Plus de 99 % des espèces, ce qui correspond à 5 milliards d'espèces au total, ont disparu de la surface de la Terre.

909. Over 99% of all species, equating to five billion species in total, that have ever been on Earth have died out.

910. Être frappé par la foudre n'est pas aussi rare qu'on le pense. La Terre est frappée par la foudre environ 100 fois par seconde. Chaque éclair peut contenir jusqu'à 1 milliard de volts d'électricité.

910. Lightning strikes are not as rare as you think. Approximately 100 strikes hit the Earth per second. Each bolt can have up to a billion volts of electricity.

911. La lune peut aussi avoir des « séismes lunaires. » Ils sont cependant moins fréquents et moins intenses que sur Terre.

911. The moon is capable of having "moonquakes." They are less frequent and intense as the ones on Earth however.

912. En 1977, on a reçu un signal radio provenant de l'espace qui a duré 72 secondes, on l'a appelé le « signal wow ! » On ne connaît toujours pas son origine.

912. In 1977, we received a radio signal from space that lasted seventy two seconds and was dubbed "the wow signal." To this day we still don't know where it came from.

913. Le lundi 23 mars 2178, Pluton complètera son orbite pour la première fois depuis sa découverte en 1930.

913. On Monday March 23, 2178, Pluto will complete its full orbit since its original discovery in 1930.

914. Il faut 40 000 ans à un photon de lumière pour parvenir du noyau du Soleil jusqu'à la surface de ce dernier. Pour que ce même photon parvienne du Soleil jusqu'à la

914. It takes 40,000 years for a photon of light to travel from the core of the Sun to its surface. For the same photon to travel from the Sun to Earth it only takes eight

Terre, il faut seulement 8 minutes.

915. Une seule cuillère d'eau possède 8 fois plus d'atomes qu'il n'y a d'eau dans l'océan Atlantique.

916. Dans l'Arctique, le soleil apparaît parfois carré quand il est à l'horizon.

917. Le Sahara est simplement dans une période sèche et devrait être à nouveau vert dans 15 000 ans.

918. Les couchers de soleil sur Mars sont bleus.

minutes.

915. A single teaspoon of water has eight times more atoms than there are teaspoonfuls of water in the Atlantic Ocean.

916. Occasionally in the Arctic the sun can appear square when it's on the horizon.

917. The Sahara is only in a dry period and is expected to be green again in 15,000 years.

918. Sunsets on Mars are blue.

Plantes, Fleurs et Arbres

919. En Australie, il y a des arbres sur lesquels poussent diverses variétés de fruits, on les appelle les arbres salade de fruits.

920. Un arbre possède environ 1 % de cellules vivantes.

921. Le bambou peut pousser jusqu'à 91 cm (35 pouces) en une seule journée.

922. La noix de coco des Maldives possède la graine la plus grosse du monde.

923. En 2012, un scientifique Russe a réussi à régénérer une fleur arctique nommée « Silene Stenophylla, » qui était éteinte depuis plus de 32 000 ans, en récupérant une graine qui avait été enterrée par un écureuil de l'ère glaciaire.

924. L'eucalyptus deglupta, plus couramment appelé eucalyptus arc-en-ciel, est un arbre dont l'écorce externe dévoile

Plants, Flowers & Trees

919. In Australia, there are trees that grow several different types of fruits known as fruit salad trees.

920. The average tree is made up of about 1% of living cells at any given time.

921. Bamboo can grow up to thirty five inches (ninety one centimeters) in a single day.

922. The Maldive coconut is the largest growing seed in the world.

923. In 2012, a Russian scientist regenerated an arctic flower known as "Silene Stenophylla" that has been extinct for over 32,000 years from a seed that was buried by an ice-age squirrel.

924. The Eucalyptus deglupta, or more commonly known as the rainbow tree, is a tree that sheds its outer bark to reveal a

une autre écorce d'un vert vif qui devient bleu, violet, orange et marron avec l'âge.

bright green inner bark that turns blue, purple, orange, and maroon as it matures.

925. La durée de vie moyenne d'un séquoia est de 500 à 700 ans et certains séquoias sempervirens vivraient même plus de 2 000 ans. Ils peuvent atteindre une hauteur de 109 m (360 pieds).

925. The average lifespan of a Redwood tree is 500-700 years old while some coast redwoods have been known to live to over 2,000 years. They can grow to over 360 feet in height (109 meters).

926. Dans le monde, il se vend plus de sapins artificiels que de vrais sapins.

926. There are more artificial Christmas trees sold in the world than real ones.

927. Le plus grand jardin de fleurs se trouve au milieu d'un désert à Dubaï, il contient plus de 500 000 fleurs.

927. The world's biggest flower garden sits in the middle of a desert in Dubai, which has over 500,000 fresh flowers.

928. Le Brésil tient son nom d'un arbre.

928. The country Brazil is named after a tree.

929. Seulement 15 % des plantes sont à la surface de la Terre.

929. Only 15% of all plants are on land.

930. Avec un seul arbre, on peut fabriquer 170 000 crayons.

930. You can create 170 thousand pencils from the average tree.

931. En Amérique du Sud et Amérique Centrale, on trouve une fleur qui ressemble à une bouche, on la surnomme la « plante à bisous. »

931. There's a flower located in Central and South America that looks like hookers lips, hence it's named Hooker's Lips.

932. Le baobab que l'on trouve sur l'île de Madagascar peut contenir jusqu'à 120 000 litres (31 000 gallons) d'eau.

932. The Baobab tree native to Madagascar can hold up to 31,000 gallons (120,000 liters) of water.

933. Il existe une fleur appelée « cosmos chocolat, » elle a la même odeur que le chocolat mais elle n'est pas comestible.

933. There is a flower called the "chocolate cosmos" that smells like chocolate but isn't edible.

934. Il existe des roses qui sont entièrement noires, on les trouve uniquement à Halfeti, en Turquie.

934. There are roses that exist that are all black, but they can only be found in Halfeti, Turkey.

935. Les tournesols peuvent nettoyer les déchets radioactifs. Leur tige et leurs feuilles peuvent absorber et stocker les polluants. C'est aussi la raison pour laquelle les tournesols sont le symbole international pour le désarmement nucléaire.

935. Sunflowers can be used to clean up radioactive waste. Their stems and leaves absorb and store pollutants. It's also why the sunflower is the international symbol for nuclear disarmament.

936. Le plus grand organisme vivant connu est un champignon qui se trouve dans les montagnes de l'Oregon. Il s'étend sur 3,8 km (2.4 miles).

936. The largest organism in the known world today is a fungus that lives in the mountains of Oregon. It spans across 2.4 miles (3.8 kilometers).

937. L'arbre le plus vieux au monde aurait 9 550 ans, il se trouve à Dalarna, en Suède.

937. The oldest recorded tree in the world is reported to be 9,550 years old located in Dalarna, Sweden.

Vraiment ?

938. En 2008, un homme d'affaires d'Abu Dhabi a dépensé 14,3 millions de dollars lors d'une enchère pour acquérir une plaque d'immatriculation où est inscrit le chiffre « 1, » c'est donc la plaque d'immatriculation la plus chère au monde.

939. Yu Youhzen, une millionnaire chinoise de 53 ans, travaille comme balayeuse de rue pour 228 dollars par mois afin de donner l'exemple à ses enfants.

940. En 2013, Rogelio Andaverde fut enlevé à son domicile, sous les yeux de sa femme, par deux hommes masqués portant des armes. Heureusement, il est rentré deux jours plus tard, sain et sauf. On a découvert plus tard qu'il avait feint son propre enlèvement simplement pour aller faire la fête avec ses amis.

941. Une étude menée par l'Université de Westminster au Royaume-Uni a démontré

Really?

938. In 2008, a businessman from Abu Dhabi spent $14.3 million at an auction to buy a license plate labeled "1," making it the world's most expensive license plate.

939. Yu Youhzen, a fifty three year old Chinese millionaire, works as a street cleaner for $228 per month to set a good example for her children.

940. In 2013, a man named Rogelio Andaverde was abducted from his home right in front of his wife by two masked men with guns. Luckily he returned two days later, unharmed. It was later discovered that he staged his own kidnapping just so he could go out and party with his friends.

941. A study by the University of Westminster in the UK determined that

que regarder des films d'horreur peut faire brûler jusqu'à 200 calories, ce qui équivaut à une demi-heure de marche.

watching horror movies can burn up to almost 200 calories, the same as a half hour walk.

942. L'une des règles du contrat d'utilisation d'iTunes stipule explicitement que vous n'avez pas le droit d'utiliser le programme pour construire des armes nucléaires, chimiques ou biologiques.

942. One of the iTunes user agreement policies explicitly states that you're not allowed to use the program to build nuclear, chemical, or biological weapons.

943. Si vous inhalez un petit pois, il est possible qu'il germe et pousse dans vos poumons.

943. If you inhale a pea, it is possible to sprout and grow in your lungs.

944. L'essence la moins chère au monde se trouve au Vénézuela, à seulement 1 centime le litre.

944. The cheapest gas prices in the world belong to Venezuela at just over a penny a liter.

945. Dans les pubs pour les montres, il est toujours presque 10h10.

945. When you see an advertisement of a watch, it's almost always ten past ten.

946. La plupart de la poussière que vous trouvez chez vous est de la peau morte.

946. Most of the dust you'll find in your house will be your dead skin.

947. La majorité des rouge à lèvres contiennent des écailles de poisson.

947. The majority of lipsticks contain fish scales.

948. La Corée du Nord est le premier pays à faire de la contrefaçon de dollars américains.

948. North Korea is the biggest counterfeiter of US currency.

949. En Russie, les citoyens aisés embauchent souvent de fausses ambulances qui passent devant tout le monde, on les appelle les taxis ambulances. Cela coûte jusqu'à 200 dollars par heure, l'intérieur est luxueux, possède des rafraîchissements, ainsi que du caviar et du champagne.

949. In Russia, wealthy citizens often hire fake ambulances that beat the city traffic which are known as ambulance taxis. They can cost as much as $200/hour, have luxurious interiors, refreshments, and include caviar and champagne.

950. En 1985, un homme de la Nouvelle-Orléans, Jerome Moody, s'est noyé à une fête où 100 maître-nageurs étaient présents. Ils célébraient le fait que personne ne se soit noyé de tout l'été dans la piscine municipale.

950. In 1985, a New Orleans man named Jerome Moody drowned at a party attended by 100 life guards who were celebrating having made it through the summer without a single drowning at a city pool.

951. Au début du 20ème siècle, les chevaux causaient tellement de pollution à cause de

951. In the early years of the twentieth century, horses were causing so much

leurs excréments que les automobiles étaient perçues comme une alternative écologique.

952. Après avoir étudié les animaux, Charles Darwin les mangeait.

953. Walt Disney se baladait dans ses parcs incognito et testait les conducteurs des attractions pour s'assurer qu'ils ne bousculaient pas les clients.

954. Tous les présidents des États-Unis paient pour leur nourriture le temps de leur séjour à la Maison Blanche.

955. Les compagnies Audi, Bentley, Bugatti, Ducati, Lamborghini et Porsche appartiennent toutes à Volkswagen.

956. À l'Université d'Oaksterdam, on peut être diplômé d'une licence en culture de cannabis.

957. On est plus petit le soir que le matin.

958. Il y a actuellement 147 millions d'onces d'or à Fort Knox. Au prix de 1 776 dollars par once, cela représente 261,6 milliards de dollars.

959. Il y a plus de décès de personnes qui tentent de faire des selfies que de personnes attaquées par des requins.

960. En 2012, Deborah Stevens, une new-yorkaise, a fait don de son rein à son patron et fut virée quasiment juste après.

961. Jesse James, le hors-la-loi notoire des années 1800, a un jour donné à une veuve qui l'hébergeait assez d'argent pour payer l'agent de recouvrement, puis il l'a braquée une fois que l'agent avait quitté la maison de la veuve.

pollution with their poop that automobiles were seen as the green alternative.

952. It was known that after examining the animals, Charles Darwin used to eat them too.

953. Walt Disney used to visit his parks in disguise and test ride operators to make sure that they weren't rushing guests.

954. All US presidents pay for their own food while staying at the White House.

955. The companies Audi, Bentley, Bugadi, Ducati, Lamborghini, and Porsche are all owned by Volkswagen.

956. At the University of Oaksterdam, you can graduate with a degree in Cannabis Cultivation.

957. You're shorter in the evenings than you are in the mornings.

958. There is currently 147 million ounces of gold in Fort Knox. At the price of about $1776 per ounce, that's worth $261.6 billion.

959. More people die from attempting selfies than from shark attacks.

960. In 2012, a woman from New York named Deborah Stevens donated a kidney to her boss and was fired almost immediately after.

961. Jesse James, a notorious outlaw from the 1800's, once gave a widow who housed him enough money to pay off her debt collector, and then robbed the debt collector as the man left the widow's home.

962. Martin Luther King Jr. avait obtenu un C pour sa prise de parole en public.

962. Martin Luther King Jr. got a C in public speaking.

963. Vous avez plus de chances de mourir en allant acheter un ticket de loto que de gagner au loto.

963. You're more likely to die on the way to buying a lottery ticket than you are to winning the lottery.

964. Si vous mesurez plus de 2 m (6,2 pieds), vous ne pouvez pas être astronaute.

964. If you're taller than six foot two (two meters), you can't become an astronaut.

965. Les compagnies Louis Vuitton et Chanel brûlent leurs produits à la fin de l'année pour éviter qu'ils soient vendus à prix bradés.

965. Both companies Louis Vuitton and Chanel burn their products at the end of the year preventing them to being sold at a discount.

966. Sogen Kato était censé être l'homme le plus vieux de la ville de Tokyo jusqu'à ce qu'en 2010, des membres du gouvernement soient venus lui souhaiter un joyeux 111ème anniversaire et aient découvert son corps momifié. Il se trouve qu'il était décédé depuis 30 ans et que sa famille touchait l'argent de sa retraite.

966. A man named Sogen Kato was thought to be the oldest man in Tokyo until 2010 when officials arrived at his home to wish him a happy 111th birthday only to find his mummified remains. It turns out he had been dead for thirty years and his family had been collecting his pension money.

967. Tomber amoureux provoque la même sensation que la prise de cocaïne.

967. Falling in love produces the same high as taking cocaine.

968. Quand Charles Darwin a découvert les tortues géantes des îles Galapagos, il a essayé de monter dessus.

968. When Charles Darwin first discovered the huge tortoises on the Galapagos Islands, he tried to ride them.

969. À la fin des années 1990, BMW a dû rappeler tous ses GPS car les conducteurs allemands ne voulaient pas recevoir de consignes de conduite venant d'une femme.

969. At the end of the 1990's, BMW actually had to recall their GPS systems because male German drivers didn't want to take directions from a female driver.

970. Lors du Vendredi Saint en 1930, la BBC a annoncé qu'il n'y avait aucune nouvelle, avant de diffuser un morceau de piano.

970. On Good Friday in 1930, the BBC announced there was no news, followed by piano music.

971. En 2012, Wallace Weatherhold, un homme de 63 ans vivant en Floride s'est fait mordre la main par un alligator et il a été accusé d'avoir agi contre la loi en nourrissant l'animal.

971. In 2012, a sixty-three year old man named Wallace Weatherhold from Florida had his hand bitten off by an alligator and he was charged with illegally feeding the animal.

972. On estime qu'une personne passe en moyenne 42 heures par an à attendre durant son trajet pour se rendre à son travail.

972. The average commuter wastes around forty two hours waiting in traffic each year.

973. Si vous portez des écouteurs pendant une heure, la quantité de bactéries dans votre oreille sera 700 fois supérieure.

973. If you wear headphones for an hour, it will increase the amount of bacteria you have in your ear by 700 times.

974. Aujourd'hui, il y a plus d'obèses que de personnes qui meurent de faim.

974. Today there are more people suffering from obesity than there are suffering from hunger.

975. Malgré ses milliards de dollars et le fait d'être l'homme d'affaires le plus riche au monde, le créateur d'Ikea, Ingvar Kamprad, vit de manière frugale. Il habite dans une petite maison, mange chez Ikea, prend le bus et ne voyage jamais en première classe.

975. Despite having billions of dollars and being one of the wealthiest businessmen in the world, Ikea founder Ingvar Kamprad is notoriously cheap. He lives in a small home, eats at Ikea, takes the bus, and only flies economy class.

976. Bill Gates, Steve Jobs, Albert Einstein, Walt Disney, et Mark Zuckerberg ont tous abandonné l'école.

976. Bill Gates, Steve Jobs, Albert Einstein, Walt Disney, and Mark Zuckerberg all dropped out of school.

977. Benjamin Franklin était jugé pas digne de confiance pour rédiger la Déclaration d'Indépendance des États-Unis, car on pensait qu'il y insérerait une blague.

977. Benjamin Franklin wasn't trusted to write the US Declaration of Independence because it was feared he would conceal a joke in it.

978. Le président JFK a acheté plus de mille cigares cubains quelques heures avant l'embargo des États-Unis contre Cuba en 1962.

978. President JFK purchased over a thousand Cuban cigars just hours before he ordered the Cuban trade embargo in 1962.

979. Carl Gugasian passa 17 ans en prison après avoir braqué 50 banques sur une trentaine d'années, ayant volé un total de 2 millions de dollars.

979. Carl Gugasian is serving seventeen years in jail after robbing fifty banks over a thirty year period, stealing $2 million.

980. 34 femmes ont accusé Donald Trump d'avoir initié un comportement sexuel inapproprié durant ces trente dernières années.

980. Twenty four women have made accusations that Donald Trump has elicited inappropriate sexual behavior over the previous thirty years.

981. Une seule usine en Irlande fabrique plus de 90 % du botox du monde entier.

981. A single factory in Ireland makes more than 90% of the world's botox.

982. Paul Getty était un milliardaire qui a

982. Paul Getty was a billionaire who

refusé de payer la rançon de 16 millions de dollars quand son petit-fils a été kidnappé. Le groupe de kidnappeurs a ensuite envoyé à Paul l'oreille coupée de son petit-fils, et il a fini par accepter en disant qu'il paierait 3 millions de dollars. Il a en fait seulement donné un peu plus de 2 millions car c'est tout ce qu'il pouvait déclarer aux impôts.

refused to pay the ransom of sixteen million dollars when his grandson was kidnapped. The group who kidnapped him later sent Paul the boys severed ear and he finally accepted and said he'd pay three million dollars. He actually only gave a little over two million because that's all he could claim on tax.

983. En 2011, l'italien Antonio C., âgé de 99 ans, a divorcé de sa femme Rosa C., alors âgée de 96 ans, après avoir découvert des lettres d'amour cachées révélant qu'elle avait eu une liaison dans les années 1940.

983. In 2011, a ninety nine year old Italian named Antonio C. divorced his ninety six year old wife Rosa C. after finding secret love letters revealing that she had an affair in the 1940's.

984. Sous une pression extrêmement puissante, le beurre de cacahuètes peut se transformer en diamants.

984. Under extremely powerful pressure, peanut butter can be turned into diamonds.

985. En 2018, 4 milliards de personnes avaient accès à Internet, cependant 844 millions de personnes n'avaient toujours pas accès à l'eau potable.

985. In 2018, four billion people have access to the Internet yet 844 million people still don't have access to clean water.

986. En moyenne, les brunes possèdent moins de cheveux que les blondes et les rousses.

986. On average, brunettes have less hairs on their head compared to red-haired and blondes.

987. Hitler fut élu « Homme de l'année » par le Time's en 1938.

987. Hitler was Time's "Man of the Year" in 1938.

988. Saddam Hussein, ancien président d'Irak, a écrit plusieurs romans et quelques poèmes qui ont été publiés anonymement.

988. Saddam Hussein, the late President of Iraq, wrote several novels and a number of poems which were published anonymously.

989. En 2017, 19 % des mariés ont dit avoir rencontré leur conjoint en ligne. Cette industrie gagne aujourd'hui 3 milliards de dollars par an.

989. In 2017, 19% of brides said they met their spouse online. This industry now brings in $3 billion a year.

990. Pour conduire un taxi noir à Londres, il faut connaître 25 000 rues et 50 000 endroits connus pour réussir le test appelé « The Knowledge. » Les candidats se présentent généralement 12 fois et ont besoin de 34 mois de préparation pour réussir le test.

990. In order to be a London Black Cab driver, one is expected to know 25,000 roads and 50,000 points of interest to pass the test called "The Knowledge." Applicants usually need twelve appearances and thirty four months of preparation to pass it.

991. La biographie officielle de l'ancien dirigeant de la Corée du Nord, Kim Jong Il, liste parmi ses accomplissements une partie de golf à 38 coups, la capacité de contrôler la météo, le fait de ne jamais avoir besoin de déféquer et le fait d'être le créateur du hamburger.

991. Deceased North Korean leader Kim Jong Il's official biography lists among his achievements a thirty eight-shot round of golf, the ability to control weather, the need to never have to poop, and being the creator of the hamburger.

992. Cela coûte 1,5 centimes pour fabriquer 1 centime et l'US Mint a fabriqué ces pièces à hauteur d'une valeur de 46 millions de dollars en 2018.

992. It costs 1.5 cents to make a penny and the US Mint issued $46 million worth of these coins in 2018.

993. En Chine, les gens très riches peuvent éviter la prison en embauchant des doublures de corps.

993. In China, the extremely wealthy can avoid prison terms by hiring body doubles.

994. Avant que l'on invente le papier toilette, les américains utilisaient des épis de maïs.

994. Before toilet paper was invented, Americans used to use corn cobs.

Royauté

995. La reine Elizabeth II a quelqu'un qui essaye ses chaussures avant qu'elle les porte pour s'assurer qu'elles sont confortables.

996. La reine d'Angleterre possède légalement un tiers de la planète.

997. Au Royaume-Uni, la reine ne peut pas se faire arrêter, peu importe le crime. C'est parce qu'au Royaume-Uni c'est la Couronne qui a le pouvoir de poursuivre en justice, elle ne peut donc pas s'incriminer elle-même. Les autres membres de la famille royale ne bénéficient pas de cette immunité.

998. Bhumibol Adulyadej, le roi de Thaïlande, est en fait né à Cambridge dans le Massachusetts aux États-Unis en 1927. À sa naissance, la chambre dans laquelle il est né fut brièvement déclarée territoire thaïlandais pour qu'il puisse naître en terre thaïlandaise.

Royalty

995. Queen Elizabeth the second has someone to wear the shoes she gets before she wears them to make sure they're comfortable.

996. The Queen of England legally owns one third of the Earth's surface.

997. In the United Kingdom, the queen cannot be arrested no matter what crime she commits. This is because the Crown itself is the prosecuting force in the UK and hence the Crown cannot verse the Crown itself. The other members of the Royal Family do not share the same immunity.

998. Bhumibol Adulyadej, the king of Thailand, was actually born in Cambridge, Massachusetts, in the United States, in 1927. When he was born, the hospital room that he was delivered in was briefly declared Thai territory so he could be born on Thai soil.

999. Un prince d'Abu Dhabi a dépensé 2,5 millions de dollars pour fabriquer une Mercedes Benz possédant un moteur V10 de 1 600 chevaux qui passe de 0 à 100 km en moins de 2 secondes et roule au biocarburant.

999. A prince in Abu Dhabi spent $2.5 million to create a Mercedes Benz with a V10 engine with 1,600 horsepower that goes 0 to 100 in less than two seconds running on biofuel.

1000. La reine Elizabeth n'a pas de passeport. Puisque le passeport britannique est délivré en son nom, elle n'a pas besoin d'en avoir, ce qui n'est pas le cas des autres membres de la famille royale.

1000. Queen Elizabeth does not have a passport. Since the British passport is issued in her name, she does not need to possess one, however, the other members of the Royal Family do.

1001. La tradition royale stipule que le Prince Charles et le Prince William ne peuvent pas monter dans le même avion car, au cas où il y aurait un accident, le monarque perdrait ses deux héritiers à la fois. Techniquement, la même règle s'applique pour le Prince William et le Prince George, son fils de 5 ans.

1001. Royal tradition states that Prince Charles and Prince William cannot board the same plane together in case there is a crash and the monarch loses two heirs at once. Technically the same rule applies for Prince William and his five-year-old son, Prince George.

Science

1002. Le son se déplace plus vite quand il traverse des éléments solides. C'est parce que les molécules d'un solide sont beaucoup plus serrées que dans un liquide ou un gaz, permettant ainsi aux ondes sonores de se déplacer plus rapidement.

1003. Ce n'est pas vrai que l'on peut croquer dans un doigt aussi facilement que dans une carotte. Il faut 200 newtons pour croquer dans une carotte crue et 1 485 juste pour fracturer un doigt.

1004. Une boule de verre peut rebondir plus haut qu'une balle en caoutchouc si on les lance de la même hauteur. Une boule d'acier peut même rebondir plus haut qu'une boule de verre.

1005. L'eau chaude gèle plus vite que l'eau froide. On appelle ça l'effet « Mpemba, » d'après le nom de l'étudiant Tanzanien qui a fait la découverte.

Science

1002. Sound can travel quicker through solids. This is because molecules in a solid medium are much closer together than those in a liquid or gas, allowing sound waves to travel more quickly through it.

1003. It is false that you can bite through a finger as easily as a carrot. It takes 200 newtons to bite through a raw carrot and 1,485 newtons just to cause a fracture to a finger.

1004. A solid glass ball can bounce higher than a rubber ball when dropped from the same height. A solid steel ball can bounce even higher than a solid glass ball.

1005. Hot water freezes quicker than cold water. This is called the "Mpemba effect," named after a Tanzanian student who discovered it.

1006. La lumière ne se déplace pas à la vitesse de la lumière. La citation exacte est « la vitesse de la lumière dans le vide » qui est de 299 792 km (186 282 miles). Si l'on pouvait se déplacer à cette vitesse, on pourrait faire 7 fois et demie le tour de la Terre en une seconde.

1006. Light doesn't actually move at the speed of light. The full quote is actually: "the speed of light in a vacuum" which is 186,282 miles (299,792 kilometers) per second. If you were able to move at this speed, you could go around Earth seven and a half times in a second.

1007. Vous pèseriez plus lourd aux pôles qu'à l'Équateur, mais la différence serait seulement d'environ 0,5 %. Vous pèseriez plus lourd au niveau de la mer qu'au sommet d'une montagne. Cela s'explique par l'aplatissement et la force gravitationnelle.

1007. You would weigh more at the poles than you would weigh at the equator, however, the difference would only be 0.5% approximately. You would weigh slightly more at sea level than at the top of a mountain. This is due to oblateness and gravitational pull.

1008. L'aérogel, aussi connu sous le nom de fumée gelée, est l'un des matériaux solides ayant la plus faible densité au monde, il est fait de 95 à 99 % d'air. Il est quasiment impossible de le voir ou de le sentir, mais il peut porter jusqu'à 4 000 fois son poids.

1008. Aerogel, also known as frozen smoke, is one of the world's lowest density solids being made up of anywhere from 95-99% air. It's almost impossible to see or feel, but it can support 4,000 times its own weight.

1009. Le premier élément créé par l'homme fut le technétium en 1937. On l'utilise pour des diagnostics médicaux et comme inhibiteur de corrosion de l'acier.

1009. The first man made element was Technetium created in 1937. It is used for medical diagnostic studies and as a corrosion inhibitor for steel.

1010. Le terme scientifique de la sensation de fourmillements est la paresthésie.

1010. The scientific term for pins and needles is paresthesia.

1011. Seulement 0,1 % d'un atome est de la matière. Le reste est de l'air.

1011. Only 0.1% of an atom is matter. The rest is air.

1012. Si l'on met une pomme à la mer, elle flottera car elle est moins dense que l'eau de mer.

1012. If you put an apple in the sea, it will float because it's less dense than seawater.

1013. L'argent sterling n'est pas entièrement composé d'argent. On y ajoute un peu de cuivre car l'argent pur est trop mou et se tordrait sans l'ajout de cuivre.

1013. Sterling Silver is not completely made out of silver. A little copper is added as pure silver is too soft and would bend otherwise.

1014. En 1951, Henrietta Lacks est décédée d'un cancer du col de l'utérus, mais quand les cellules cancéreuses ont été enlevées, on a découvert que ce furent

1014. In 1951, a woman named Henrietta Lacks died of cervical cancer, but her tumor cells were removed and later discovered to be the first ever human cells that could

les premières cellules humaines capables de vivre en laboratoire. Ses cellules ont été l'objet de recherche de plus de 74 000 études dont la plupart ont permis de comprendre profondément la biologie cellulaire, le cancer, le vaccin et le clonage.

thrive in a lab. Her cells have been the subject of more than 74,000 studies, many of which have yielded profound insights into cell biology, cancer, vaccine, and cloning.

1015. Le LSD est réputé pour guérir le trouble de stress post-traumatique, comme dans le cas de Yehiel De-Nur, un survivant de l'holocauste, qui après la prise de la drogue, a réussi à dormir pour la première fois en 30 ans sans faire de cauchemars.

1015. LSD has been known to cure Post Traumatic Stress Disorder, such as in the case of Yehiel De-Nur, a Holocaust survivor who, after taking the drug, was able to sleep for the first time in thirty years without nightmares.

1016. En apesanteur, une flamme est ronde et bleue.

1016. A flame is round and blue when in zero gravity.

Choquant

1017. En 2011, Mark Bradford, un homme de 46 ans, a pourchassé et étranglé un garçon de 13 ans qui l'avait tué plusieurs fois dans le jeu « Call of Duty. »

1018. En 1967, le Premier Ministre de l'Australie a disparu. Il a fallu attendre 40 ans pour apprendre qu'il s'était noyé accidentellement.

1019. En 1971, Jean-Claude Romand a menti en disant passer son diplôme de médecine, puis il a poursuivi cette vie de mensonges, tout le monde croyant qu'il était effectivement médecin. Il a réussi à faire croire à la supercherie pendant 18 ans, jusqu'à ce qu'il tue toute sa famille pour que ses mensonges ne leur soient pas dévoilés.

1020. Les médecins qui écrivent mal tuent plus de 7 000 personnes et en blessent plus d'un million chaque année à la suite de

Shocking

1017. In 2011, a forty six year old man named Mark Bradford hunted down and choked a thirteen year old boy who killed him several times in the game "Call of Duty."

1018. In 1967, the Prime Minister of Australia went missing. It was only four decades after he went missing that it was confirmed that he had accidentally drowned.

1019. In 1971, a man named Jean-Claude Romand lied about passing important medical exams and he continued crafting elaborate lies until everyone he knew thought he was an actual medical doctor. He got away with it for eighteen years until he eventually killed his entire family to avoid being revealed.

1020. Doctors with messy handwriting kill more than 7,000 people and injures over a million people each year due to receiving

prise des mauvais médicaments.

1021. En 1954, John Thomas Doyle s'est suicidé en sautant du Golden Gate Bridge. Sur le message qu'il avait laissé, il n'y avait rien d'autre que « J'ai une rage de dents. »

1022. La première fois qu'un homme a volé avec des ailes artificielles fut au 6ème siècle en Chine. L'empereur Kao Yang attachait les prisonniers à des cerf-volants et les jetait du haut d'un immeuble pour voir s'ils pouvaient voler.

1023. La durée la plus longue d'un coma fut de 37 ans. Une enfant de 6 ans est allée à l'hôpital pour une appendicectomie et a subi une anesthésie générale dont elle ne s'est pas réveillée pour une raison que les médecins ignorent.

1024. En 1567, Hans Steininger, qui possédait la barbe la plus longue au monde, d'une longueur d'1,4 m (4,5 pieds), est décédé en se brisant la nuque après avoir marché dessus par inattention.

1025. Luis Garavito, un des tueurs en série les plus dangereux au monde ayant fait 140 victimes, a vu sa peine de prison réduite à seulement 22 ans et pourrait sortir en 2021.

1026. Le lac Chagan est le seul lac créé artificiellement par essai nucléaire. Même si l'essai nucléaire a été effectué en 1965, il est interdit de s'y baigner à cause des radiations.

1027. En 2008, un Japonais a découvert que la nourriture de sa cuisine se volatilisait, il a donc installé une caméra et a découvert qu'une femme sans-abri de 58 ans avait vécu dans son placard pendant plus d'un an.

1028. Ramon Artagaveytia a un jour survécu à un naufrage de bateau en 1871.

the wrong medication.

1021. In 1954, a man named John Thomas Doyle committed suicide by jumping off the Golden Gate Bridge. His suicide note read absolutely no reason other than "I have a toothache."

1022. The first recorded human flight with artificial wings in history was in the 6th century in China. Emperor Kao Yang would strap prisoners to kites and throw them off a building to see if they could fly.

1023. The longest someone has been in a coma and come out of it is thirty seven years. A six year old went to the hospital for a routine appendectomy, she went under general anesthesia, and didn't come out for reasons doctors can't explain.

1024. In 1567, Hans Steininger, who once had the longest beard in the world at 4.5 feet (1.4 meters) long, died when he broke his neck after accidentally stepping on it.

1025. Luis Garavito, one of the world's most dangerous serial killers with 140 victims, had his sentence reduced to only twenty two years and could be out as early as 2021.

1026. Lake Chagan is the only lake artificially created by a nuclear test. Even though the nuclear test was fired in 1965, it's still unsafe for swimming due to radiation.

1027. In 2008, a Japanese man noticed that food in his home was disappearing so he set up a webcam and discovered that a fifty eight year old homeless woman was living in his closet for an entire year.

1028. Ramon Artagaveytia once survived a sinking ship in 1871. He was so scared from

Cette expérience l'a tellement traumatisé qu'il n'a remis les pieds sur un bateau que 41 ans plus tard. Malheureusement pour lui, ce bateau était le Titanic.

this experience he didn't get on another ship till forty one years later. Unfortunately for him that ship was Titanic.

1029. En 2011, un camionneur néo-zélandais, Steven McCormack est tombé sur une valve à haute pression qui s'est logée dans ses fesses et l'a fait gonfler de presque deux fois sa taille, ce qui a failli le tuer. Il a survécu mais il lui a fallu plusieurs jours de rots et de pets pour évacuer l'air en trop.

1029. In 2011, a New Zealand trucker named Steven McCormack fell on a high-pressure valve which lodged in his butt and inflated him to twice his size nearly killing him. He did survive, but it took a full three days to burp and fart out the excess air.

1030. Les distributeurs tuent environ 13 personnes par an.

1030. Vending machines kill about thirteen people a year.

1031. La plus grande famille au monde vient de Baktawng, en Inde, le père Ziona Chana a 94 enfants avec 39 femmes différentes.

1031. The biggest family in the world is from Baktawng, India, where father Ziona Chana has ninety four children by thirty nine different wives.

1032. La Chine est tellement polluée à certains endroits qu'y passer une journée équivaut à fumer 21 cigarettes.

1032. The pollution in China is so bad in some parts that just being in that area for one day is the equivalent of smoking twenty one cigarettes.

1033. Certaines entreprises japonaises comme Sony, Toshiba, et Panasonic possèdent des salles de bannissement où ils placent les employés en trop et leur donnent des tâches inutiles à faire ou même rien du tout jusqu'à ce qu'ils deviennent assez déprimés et découragés pour démissionner de leur plein gré, évitant ainsi de payer leur licenciement.

1033. Some Japanese companies such as Sony, Toshiba, and Panasonic have banishment rooms where they transfer surplus employees and give them useless tasks or even nothing to do until they become disheartened or depressed enough to quit on their own, thus avoiding paying them full benefits.

1034. En 1886, un homme nommé H.H. Holmes a construit un hôtel de trois étages à Chicago dédié à tuer des gens. La structure comprenait des escaliers qui ne menaient nulle part, et un labyrinthe de plus de 100 pièces sans fenêtres qui lui a permis de tuer plus de 200 personnes.

1034. In 1886, a man named HH Holmes built a three-story hotel in Chicago specifically to kill people in it. Its design included stairways to nowhere and a maze of over 100 windowless rooms which he used to kill over 200 people.

1035. Durant les 3 000 dernières années, il y a eu seulement 240 ans de paix.

1035. There has only been 240 years of peace in the last 3,000 years.

1036. Un garçon indonésien, Aldi Rizal, s'est mis à fumer cigarette sur cigarette et a continué à fumer plus de 40 cigarettes par jour jusqu'à ces cinq ans, il fut ensuite envoyé en désintoxication.

1036. An Indonesian boy named Aldi Rizal began chain smoking when he was just eighteen months old and continued smoking over forty cigarettes a day until he was five years old when he was sent to rehab.

1037. La bière la plus forte au monde s'appelle « Snake Venom, » elle contient 67,5 % d'alcool.

1037. The strongest beer in the world is called "Snake Venom" containing 67.5% alcohol.

1038. On estime que la malaria est responsable de la moitié des décès des personnes ayant vécu sur Terre.

1038. It is estimated that malaria has been responsible for half of the deaths of everyone who has ever lived.

1039. Environ 1 juif sur 6 décédés lors de l'holocauste est mort à Auschwitz.

1039. Approximately one in every six Jewish people killed in the Holocaust died at Auschwitz.

1040. Les requins tuent en moyenne 12 personnes par an. Les hommes tuent environ 11 000 requins par heure.

1040. Sharks kill about twelve people a year. People kill about eleven thousand sharks an hour.

1041. Si l'on ajoutait les ventes de McDonald's, Kellogg's, et Microsoft, la vente de cocaïne dépasserait encore les trois ensemble.

1041. If you combined the sales of McDonald's, Kellogg's, and Microsoft together, cocaine would still exceed the three combined.

1042. Les premières bouteilles de Coca-Cola contenaient de la cocaïne.

1042. In the early bottles, Coca-Cola contained cocaine.

1043. 4 présidents américains ont été tués par balle.

1043. Four American presidents have been killed by gunshot.

1044. En 1967, un magazine intitulé « Berkeley Barb » a publié une fausse histoire sur l'extraction d'une substance hallucinogène dans les bananes afin de soulever des questions morales sur le bannissement des drogues. Malheureusement, les gens n'ont pas compris que c'était une intox et se sont mis à fumer les peaux de bananes

1044. In 1967, a magazine called "Berkeley Barb" published a fake story about extracting hallucinogenic chemical from bananas to raise moral questions about banning drugs. Unfortunately people didn't realize it was a hoax and began smoking banana peels to try to get high.

1045. Vous avez 14 % plus de chances de mourir le jour de votre anniversaire que n'importe quel autre jour.

1045. You are 14% more likely to die on your birthday than any other day.

1046. À Bern, en Suisse, il y a une statue vieille de 500 ans représentant un homme mangeant des enfants sortis d'un sac, et personne ne sait vraiment pourquoi.

1046. In Bern, Switzerland, there's a 500 year old statue of a man eating a sack of babies and nobody is sure why.

1047. Un bouchon sur l'autoroute « China National Highway 110 » fut considéré comme le plus long de l'histoire. Il s'étalait sur 100 km (62 miles) et a duré plus de 11 jours.

1047. The "China National Highway 110" traffic jam was considered the longest traffic jam in history. It was sixty two miles (100 kilometers) long and lasted eleven days.

1048. Les frères Adolf Dassler et Rudolf Dassler, à l'origine des marques Puma et Adidas, étaient membres du parti Nazi.

1048. The brothers Adolf Dassler and Rudolf Dassler, who started Puma and Adidas, were part of the Nazi party.

1049. La plus jeune mère de l'histoire fut Lina Medina, au Pérou. Elle a accouché à l'âge de 5 ans.

1049. The youngest mother in medical history was Lina Medina from Peru who gave birth when she was five.

1050. Votre téléphone portable contient 10 fois plus de bactéries que l'abattant de vos toilettes.

1050. Your mobile phone carries ten times more bacteria than your toilet seat.

1051. Depuis 2016, environ 280 grimpeurs sont morts sur l'Everest. Leurs corps sont si bien conservés qu'ils servent de balises.

1051. As of 2016, about 280 climbers have died on Everest. Their bodies are so well preserved that they are used as markers.

Sports

1052. La température d'une balle de tennis détermine son rebond. Wimbledon utilise plus de 50 000 balles de tennis par an, elles sont conservées à 20°C (68°F) afin de garantir leur meilleure utilisation.

1053. En 2022, la Coupe du Monde se tiendra à Lusail, au Qatar, une ville qui n'existe pas encore.

1054. Le saut le plus long réalisé par un homme va plus loin que le saut d'un cheval. Aux Jeux olympiques de 1962, le record du monde fut établi à 8,9 m alors que le record d'un cheval est de 8,4 m (28 pieds).

1055. La joute équestre est le sport officiel de l'État du Maryland.

1056. Aujourd'hui, les médailles d'or sont composées de seulement 1,3 % d'or. La dernière fois qu'une médaille en or massif

Sports

1052. The temperature of tennis balls affects how a ball can bounce. Wimbledon go through over fifty thousand tennis balls a year that are kept at sixty eight degrees Fahrenheit (twenty degrees Celsius) to make sure only the best are used.

1053. In 2022, the World Cup will be played in Lusail, Qatar, a city that doesn't even exist yet.

1054. The longest human jump is further than the longest horse jump. In the 1968 Olympics, the world record was set at 8.9 meters while the record for a horse is twenty eight feet (8.4 meters).

1055. Jousting is the official sport in the state of Maryland.

1056. Today's gold medals are only 1.3% gold. The last time a pure gold medal was given out was in the 1912 Stockholm

fut attribuée était lors des Jeux olympiques de Stockholm en 1312.

Olympics.

1057. Une tribu d'Afrique de l'ouest, la tribu « Matami, » joue à une sorte de foot avec un crâne humain au lieu d'un ballon.

1057. A tribe in West Africa, known as "The Matami Tribe," play a version of football which consists of using a human skull as the ball.

1058. En 2013, Sean Conway fut le premier homme à nager l'équivalent de la longueur de la Grande Bretagne. Il a mis 135 jours pour finir le trek de 1 400 km (900 miles). Il a passé 90 jours dans l'eau et le reste à se reposer en attendant que le mauvais temps passe.

1058. In 2013, Sean Conway became the first man ever to swim the entire length of Great Britain. The 900 miles (1,400 kilometers) trek took him 135 days to complete. Ninety were spent in water while the rest were spent avoiding bad weather and resting.

1059. Il existe un sport nommé « Banzai Skydiving » qui consiste à lancer un parachute d'un avion puis de sauter juste après.

1059. There is real sport called "Banzai Skydiving" which involves throwing your parachute out of the plane and then jumping out after it.

1060. Le Québec a terminé de payer sa dette des Jeux olympiques de l'été 1976 trente ans plus tard, en 2006.

1060. Quebec only finished paying off its 1976 Summer Olympics debt thirty years later, in 2006.

1061. Le sport le plus populaire au monde est le football. En deuxième position, on trouve le cricket, puis le hockey sur gazon.

1061. The most popular sport in the world is football. Second place goes to cricket followed by field hockey.

1062. Quand il était enfant, Muhammad Ali n'a pas pu obtenir d'autographe de son idole de la boxe, Sugar Ray Robinson. Quand Ali devint un boxeur récompensé, il a fait la promesse de ne jamais refuser un autographe, promesse qu'il a tenu tout au long de sa carrière.

1062. As a child, Muhammad Ali was refused an autograph from his boxing idol Sugar Ray Robinson. When Ali became a prized fighter, he vowed to never deny an autograph request, which he honored throughout his entire career.

1063. En 1984, quand les Air Jordans sont sorties, la NBA les a interdites. Michael Jordan les portait quand même car Nike acceptait de payer l'amende de 5 000 dollars à chaque fois qu'il entrait sur le terrain.

1063. In 1984, when the Air Jordans were introduced, they were banned by the NBA. Michael Jordan wore them anyways as Nike was willing to pay the $5,000 fine each time he stepped onto the court.

1064. En 1947, Sugar Ray Robinson, l'un des plus grands boxeurs au monde, a refusé un combat car il avait rêvé qu'il tuait son adversaire. Il fut convaincu de mener le

1064. In 1947, Sugar Ray Robinson, one of the greatest boxers of all time, backed out of a fight because he had a dream that he was going to kill his opponent. After being

combat malgré tout, monta sur le ring et tua réellement son adversaire.

convinced to fight, he went into the ring and actually killed his opponent.

1065. Le meilleur score du monde d'un match de foot reconnu par le Guinness des records fut de 149 à zéro entre deux équipes de Madagascar en 2002. Cela s'est produit car l'une des équipes a marqué dans son propre but pour montrer son mécontentement suite à une décision de l'arbitre.

1065. The highest scoring soccer game in history recognized by the Guinness Book of World Records was 149 to zero between two teams in Madagascar in 2002. It happened because one of the teams began scoring on themselves in protest of a bad call by one of the referees.

1066. Il existe un sport nommé « la pêche aux écureuils » dans lequel les participants essaient d'attraper des écureuils et de les soulever dans les airs à l'aide d'une noix au bout d'une canne à pêche.

1066. There's a sport called "squirrel fishing," in which participants try to catch squirrels and lift them into the air by using a nut on a fishing pole.

Technologie, Internet et Jeux-vidéo

Technology, Internet & Videogames

1067. Ceux qui travaillent dans les entrepôts d'Amazon marchent en moyenne 17 km (11 miles) par journée de travail, ils préparent une commande toutes les 33 secondes.

1067. Workers of Amazon's distribution centers can be expected to walk up to eleven miles (seventeen kilometers) per shift picking up an order once every thirty three seconds.

1068. Quand ils ont créé « Breakout » pour Atari, Steve Jobs et Steve Wozniak ont accepté de partager les gains à 50/50. Atari a donné 5 000 dollars à Jobs mais ce dernier a dit à Wozniak qu'il avait reçu 700 dollars, il lui a donc seulement donné 350 dollars.

1068. When they made "Breakout" for Atari, Steve Jobs and Steve Wozniak agreed to split the pay 50/50. Atari gave Jobs $5,000 for it, but Jobs only told Wozniak he got $700, only giving him $350.

1069. Intel a un employé futuriste, Brian David Johnson, dont le travail est d'imaginer ce que sera la vie dans 10 à 15 ans.

1069. Intel employs a futuris named Brian David Johnson whose job is to determine what life would be like to live ten to fifteen years in the future.

1070. Yang Yuanquing, le PDG de Lenovo, a reçu 3 millions de dollars en bonus en guise de récompense à la suite des bénéfices de 2012, qu'il a redistribués aux 10 000 employés de Lenovo. Il a refait

1070. Yang Yuanquing, Lenovo's CEO, received a $3 million bonus as a reward due to record profits in 2012, which he redistributed to 10,000 of Lenovo's employees. He did the exact same thing in

exactement la même chose en 2013.

1071. Shigeru Miyamoto, le créateur des célèbres jeux Mario, Zelda, et Donkey Kong, fut interdit de faire du vélo. C'est parce qu'il était devenu si important pour Nintendo qu'ils ne voulaient pas prendre le risque qu'il lui arrive quelque chose, l'obligeant ainsi à prendre sa voiture.

1072. Un groupe de hackers nommé UGNazi a piraté le site de Papa John car l'entreprise avait deux heures de retard dans la livraison de leur repas.

1073. Il existe au moins 7 applications au prix de 999,99 dollars, qui est le prix maximum que l'on puisse payer pour une application.

1074. Si un employé de Google meurt, son conjoint touche la moitié de son salaire pendant 10 ans, des avantages boursiers, et leurs enfants touchent 1 000 dollars par mois jusqu'à leurs 19 ans.

1075. Facebook suit et enregistre votre adresse IP ainsi que l'URL de tous les sites que vous consultez qui utilisent des plugins sociaux comme le bouton J'aime.

1076. Il existe moins de 50 ordinateurs du tout premier Apple 1, certains se vendent aujourd'hui plus de 50 000 dollars.

1077. En 1998, Larry Page et Sergey Brin, les créateurs de Google, ont proposé de vendre leur petite startup à AltaVista pour 1 million de dollars pour pouvoir continuer leurs études à Stanford. L'offre fut rejetée, mais ils possèdent aujourd'hui, depuis 2019, un empire d'une valeur de 101 milliards de dollars.

1078. Il y avait un troisième créateur d'Apple, Ronald Wayne, qui possédait autrefois 10 % de l'entreprise. Il a décidé de

2013.

1071. Shigeru Miyamoto, the creator of the famous games Mario, Zelda, and Donkey Kong, was banned from riding a bicycle. This is because he became so valuable to Nintendo that they didn't want to risk anything happening to him, forcing him to drive a car instead.

1072. A hacker group named UGNazi once took down Papa John's website because the company was two hours later than expected in delivering their food.

1073. There are at least seven apps on the app store that are priced $999.99, which is the maximum price you can charge on the app store.

1074. If a Google employee dies, their spouse gets half their salary for the next ten years, stock benefits, and their children get $1,000/month until they're nineteen.

1075. Facebook tracks and records your IP address as well as the URL of every website that you visit that uses any of its social plugins such as the like button.

1076. There are fewer than fifty of the original Apple 1 computers in existence with some of them selling for over $50,000.

1077. In 1998, Larry Page and Sergey Brin, the founders of Google, offered to sell their little startup to AltaVista for $1 million so they could resume their studies at Stanford. They were rejected, and have now grown the empire to $101 billion as of 2019.

1078. There was a third Apple founder named Ronald Wayne who once owned 10% of the whole company. He decided to

vendre sa part pour 800 dollars en 1976.

1079. En 2009, Wikipédia a définitivement banni l'église de la Scientologie en leur interdisant d'éditer des articles.

1080. L'option one-click a été inventée par Amazon, qui a déposé un brevet, Apple leur paye donc un droit d'utilisation.

1081. En 2013, plus de 200 inconnus ont accepté une invitation Facebook pour assister à l'enterrement du vétéran britannique James McConnel, qui n'avait pas de famille ni d'amis pour assister à ses funérailles.

1082. La nomophobie est la peur de ne pas avoir de réseau téléphonique.

1083. Michael Birch, le créateur du réseau social Bebo, l'a vendu à AOL pour 850 millions de dollars en 2008, pour le racheter ensuite à 1 million de dollars en 2013.

1084. Futureme.org est un site Internet sur lequel on peut envoyer une lettre numérique à son futur soi, à n'importe quelle date dans le futur.

1085. La valeur du patrimoine de Jeff Bezos est si élevée que ce ne serait pas la peine pour lui de ramasser un billet de 100 dollars qui lui aurait échappé des mains. En fait, il faudrait qu'il dépense 28 millions de dollars par jour pour arrêter de s'enrichir.

1086. La fabrication d'un iPhone moyen coûte environ 200 dollars.

1087. Watson, une intelligence artificielle d'IBM, a appris à jurer en utilisant le dictionnaire urbain. Quand il s'est mis à faire des remarques insolentes, les scientifiques ont dû supprimer le dictionnaire urbain de

sell that 10% stake for $800 in 1976.

1079. In 2009, Wikipedia permanently banned the church of Scientology from editing any articles.

1080. The one click option was invented by Amazon, who have a patent on it, and Apple pays them a licensing fee to use it.

1081. In 2013, over 200 strangers responded to a Facebook invitation to attend a funeral for British veteran James McConnel, who had no friends or family members to attend otherwise.

1082. Nomophobia is the fear of being without mobile phone coverage.

1083. Michael Birch, the founder of the social networking site Bebo, sold it to AOL for $850 million in 2008, only to later buy it back for a million dollars in 2013.

1084. Futureme.org is a website where you can send e-letters to yourself at any time in the future.

1085. Jeff Bezos net worth is so high that it wouldn't be worth him picking up a $100 bill if he dropped it. In fact, he has to spend $28 million a day just to stop getting richer.

1086. The average iPhone only costs $200 to make.

1087. Watson, IBM's artificially intelligent computer, learned how to swear from the urban dictionary. Because of that, it began talking sassy so scientists had to remove the entire urban dictionary database

sa base de données.

from its memory.

1088. La dépendance à Internet, aussi appelée « IAD, » est une véritable dépendance qui pousse la personne à adopter un comportement addictif, compulsif et pathologique dans son utilisation d'Internet.

1088. Internet addiction disorder, also known as "IAD," is a real mental disorder in which somebody engages in addictive, compulsive, or pathological Internet use.

1089. Sur l'app store d'Android et d'Apple, il y a plus de 4 millions d'applications téléchargeables.

1089. There are over four million apps available for download on both the Android and Apple app store.

1090. 300 heures de vidéos sont importées sur YouTube chaque minute, et près de 5 milliards de vidéos sont regardées sur YouTube chaque jour.

1090. 300 hours of video are uploaded to YouTube every minute and almost five billion videos are watched on YouTube every single day.

1091. Amazon est la première entreprise à avoir atteint le trillion de dollars.

1091. Amazon is the first company to ever hit a trillion dollars.

1092. La première page web a été mise en ligne le 6 août 1991 et relayait les nouvelles.

1092. The first web page went live on August 6, 1991, and was dedicated to information.

1093. Plus de 90 % des ventes de téléphones portables au Japon concernent des appareils résistants à l'eau car les Japonais aiment tellement leur téléphone qu'ils l'utilisent sous la douche.

1093. Over 90% of mobile phone sales in Japan are for waterproof devices because the Japanese are so fond of their mobile phones they even use them in the shower.

1094. Le créateur des « Sims, » Will Wright, a conçu le jeu après l'incendie tragique de sa maison en 1991, qui lui a inspiré ce jeu reproduisant une « maison de poupée virtuelle. » C'est ainsi que la franchise a vu le jour.

1094. The creator of "The Sims," Will Wright, created the game after experiencing a tragic house fire in 1991 that left him with a vision of a game surrounding a "virtual dollhouse," then the franchise was born.

1095. Google, Amazon, Microsoft, et Facebook possèdent à eux seuls 1,2 millions de terabytes d'informations stockées sur Internet.

1095. Google, Amazon, Microsoft, and Facebook alone have 1.2 million terabytes of information stored on the Internet.

1096. Si vous cherchez « Zerg rush » sur Google, Google va grignoter la page de recherche petit à petit.

1096. If you Google "Zerg rush," Google will begin to eat the search page.

1097. Le premier courriel fut envoyé en

1097. The first email was sent in 1971.

1971. Il fut envoyé à l'ordinateur juste à côté de lui pour un essai.

1098. 1 000 selfies sont postés sur Instagram toutes les 10 secondes. Cela représente 93 millions de selfies par jour.

1099. 97 % des courriels envoyés sont des spams.

1100. Le stockage informatique se compte par unités de 1000. 1024 bits représentent un byte, 1024 bytes représentent un kilobyte, suivi de mégabyte, gigabyte, terabyte, et petabyte.

1101. En avril 2014, le gouvernement danois a construit la réplique exacte du pays sur la plateforme en ligne de Minecraft, en utilisant 4 trillions de blocs de construction Minecraft. Cela fut élaboré à des fins éducatives mais en quelques semaines, les joueurs américains avaient envahi le jeu et avaient planté des drapeaux américains partout après avoir tout détruit.

1102. La moitié des personnes au monde n'ont jamais passé ni reçu d'appel téléphonique.

1103. Les champignons rouges des jeux Nintendo Mario sont inspirés d'une véritable espèce appelée « amanita muscaria. » Ils possèdent des propriétés hallucinogènes et déforment la taille des objets que l'on voit. C'est le même champignon qui apparaît dans Alice aux Pays des Merveilles.

1104. Une société de logiciels nommée « PC Pitstop » a un jour caché un prix de 1 000 dollars dans leurs conditions d'utilisation juste pour voir si quelqu'un les lisait vraiment. 5 mois et 3 000 ventes plus tard, quelqu'un a fini par le faire.

1105. Les quatre fantômes dans Pacman

The email was sent to the computer right next to it as a test.

1098. 1,000 selfies are posted to Instagram every ten seconds. This is ninety three million selfies a day.

1099. 97% of all emails sent are spam.

1100. Digital storage doesn't go up in measurements of thousands. 1024 bits make a byte, 1024 bytes makes up a kilobyte followed by megabyte, gigabyte, terabyte, and petabyte.

1101. In April of 2014, the Danish government built an exact replica of their country in the online game Minecraft using four trillion Minecraft building blocks. It was intended for educational purposes, but within weeks, American players had invaded the game planting American flags everywhere and blowing things up.

1102. Half the world has never made or received a phone call.

1103. The red mushrooms featured in Nintendo's Mario games are based on a real species of a fungi called "amanita muscaria." They're known for their hallucinogenic properties and can distort the size of perceived objects. This is also the same mushroom that is referenced in Alice in Wonderland.

1104. A software company called "PC Pitstop" once hid a $1,000 prize in their terms of service just to see if anyone would read it. After five months and three thousand sales later, someone finally did.

1105. The four ghosts in Pacman are

sont chacun programmés pour faire quelque chose. Blinky, le fantôme rouge, vous poursuit ; Pinky, le fantôme rose, essaye simplement de se mettre devant Pacman : Inky, le fantôme bleu, essaye de se positionner au même endroit que vous ; et Clyve, le fantôme orange se déplace de manière aléatoire.

all programmed to do certain things. Blinky, the red ghost, chases you; Pinky, the pink ghost, simply tries to position herself in front of Pacman; Inky, the blue ghost, tries to position himself in the same way; and Clyve, the orange ghost, moves randomly.

1106. Les Nations Unies ont établi l'accès à Internet comme étant un droit humain.

1106. The UN has deemed access to the Internet a human right.

1107. Le fameux site de torrent Pirate Bay a un jour essayé d'acheter une île pour créer leur propre pays sans droits d'auteur.

1107. The famous torrent site Pirate Bay once tried to buy its own island to make their own country with no copyright laws.

1108. L'application Candy Crush gagnait 956 000 dollars par jour lors de son pic d'utilisation.

1108. The app Candy Crush was making $956,000 a day in its prime.

1109. Facebook compte 2,32 milliards d'utilisateurs actifs en date du 31 décembre 2018.

1109. There are 2.32 billion monthly active users on Facebook as of 31st December, 2018.

1110. Il y a environ 250 000 brevets en cours pour le smartphone.

1110. There are approximately 250,000 active patents applicable to the smartphone.

1111. Dans une étude menée par le centre médical du Bay State Medical Center à Springfield, environ 68 % des personnes ressentent des vibrations qui n'existent pas, une hallucination sensorielle où on a l'impression que notre téléphone vibre dans notre poche.

1111. In a study conducted by the Bay State Medical Center in Springfield, approximately 68% of people experience phantom vibrations syndrome, a sensory hallucination where you mistakenly think your phone is buzzing in your pocket.

1112. Jeff Bezos, le propriétaire d'Amazon.com, possède aussi le magazine Washington Post.

1112. Jeff Bezos, the owner of Amazon.com, is also the owner of the Washington Post.

1113. Google a fait l'acquisition de chèvres pour remplacer la tonte de la pelouse au siège social de Mountain View.

1113. Google rents goats to replace lawn mowers at their Mountain View headquarters.

1114. Zoe Pemberton, une britannique de 10 ans, a essayé de vendre sa grand-mère sur eBay parce qu'elle en avait marre et voulait s'en débarrasser.

1114. Zoe Pemberton, a ten year old girl from the UK, attempted to sell her grandma on eBay because she found her annoying and wanted her to disappear.

1115. Il a fallu près de 75 ans pour que le téléphone soit utilisé par 50 millions de personnes, il a fallu 38 ans pour la radio, 13 ans pour la télévision, 4 ans pour Internet, 2 ans pour Facebook et seulement 19 jours pour Pokémon GO.

1115. It took approximately seventy five years for the telephone to reach fifty million users, the radio thirty eight years, thirteen years for the television, four for the Internet, two for Facebook, and only nineteen days for Pokemon GO.

1116. Il y a actuellement 1,6 milliards de sites en ligne. Cependant, 99 % de ces sites ne sont pas accessibles via Google, on appelle ça le Web profond.

1116. There are currently 1.6 billion live websites on the web right now. However, 99% of these sites you cannot access through Google and it's known as the Deep Web.

1117. Les humains représentent seulement 48 % des utilisateurs d'Internet. Les 52 % restants sont des robots.

1117. Humans only make up 48% of users on the Internet. The other 52% of web traffic are bots.

1118. Durant l'année 2020, il y a eu environ 40 milliards de gadgets connectés à Internet.

1118. In the year 2020, there will be approximately forty billion gadgets connected to the Internet.

1119. Le nom « Bluetooth » provient du roi Harald Bluetooth qui vécut au 10ème siècle. Il a unifié le Danemark et la Norvège, exactement comme la technologie sans-fil unifia les ordinateurs et les téléphones.

1119. "Bluetooth" technology was named after a 10th Century king, King Harald Bluetooth. He united Denmark and Norway – just like wireless technology united computers and cell phones.

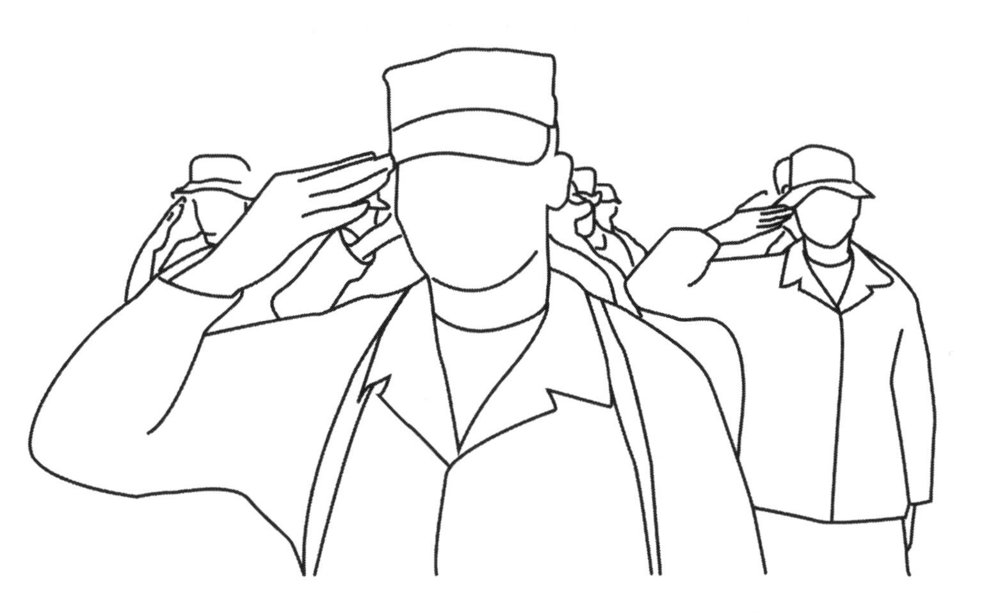

Guerre et Milieu Militaire

1120. La Russie a entraîné et déployé 40 000 chiens antichar durant la Deuxième Guerre mondiale. Ils étaient chargés d'explosifs et entraînés pour rouler sous les tanks où ils étaient censés exploser, sauf que la plupart des chiens prirent peur et revinrent vers leur maître dans les tranchées et tuaient donc les soldats de leur propre camp.

1121. Il y a eu environ 42 tentatives d'assassinat dirigées contre Hitler.

1122. Chiune Sugihara était un diplomate japonais célèbre qui a été envoyé en Lituanie durant la Seconde Guerre mondiale. Il a aidé plus de 6 000 réfugiés juifs à entrer sur le territoire japonais en leur offrant des visas de transit, risquant ainsi sa propre vie et celle de sa famille.

1123. Durant la Seconde Guerre mondiale, Jacklyn Lucas a menti pour

War & Military World

1120. Russia trained and deployed 40,000 anti-tank dogs in World War Two. The dogs were loaded with explosives and trained to run under tanks where they would be detonated, except many of the dogs became scared and ran back to their owner's trenches where they killed their own people.

1121. There were at least forty two known assassination plots against Hitler.

1122. Chiune Sugihara was a famous Japanese diplomat that operated in Lithuania during World War Two. He helped more than 6,000 Jewish refugees escape to Japanese territory by issuing them transit visas risking his life and his family's life in the process.

1123. In World War Two, Jacklyn Lucas lied his way into the military and became

pouvoir entrer dans l'armée et devint le plus jeune marine à obtenir une médaille d'honneur. À l'âge de 17 ans, il s'est jeté sur deux grenades dégoupillées afin de protéger son équipe et a survécu.

1124. 144 prisonniers ont réussi à s'évader d'Auschwitz.

1125. Il y a actuellement 22 pays dans le monde qui ne possèdent pas d'armée de terre ni de l'air, ni de marine.

1126. Pendant la Guerre Froide, le mot de passe des missiles nucléaires américains était 8 zéros, pour qu'ils puissent les lancer le plus vite possible.

1127. Hitler avait prévu d'envahir la Suisse mais a abandonné l'idée car l'opération était rendue difficile par les montagnes.

1128. La Russie et le Japon n'ont toujours pas signé le traité de paix qui met fin à la Seconde Guerre mondiale.

1129. Durant la Seconde Guerre mondiale, les prisonniers des camps de guerre canadiens étaient si bien traités qu'on leur donnait des noms et qu'ils avaient accès à des activités comme des tournois de foot ou des groupes musicaux. Quand la guerre arriva à son terme, beaucoup d'entre eux ne voulaient pas quitter le Canada.

1130. En 1945, Tsutomu Yamaguchi a survécu à l'explosion atomique d'Hiroshima car il devait prendre un train tôt le matin pour arriver à l'heure à son emploi situé à Nagasaki, où il a également survécu à l'explosion atomique.

1131. Depuis 1945, tous les tanks britanniques sont équipés de services à thé.

1132. Le meilleur interrogateur de la

the youngest marine ever to earn a medal of honor. When he was seventeen, he threw himself on two live grenades to protect his squad members and survived.

1124. 144 successful prisoners escaped Auschwitz.

1125. There are now twenty two countries worldwide that have no army, navy, or air force.

1126. During the Cold War, the US's passcode to nuclear missiles was eight zeroes so they could fire them as quick as possible.

1127. Hitler planned on invading Switzerland but gave in as it was too difficult with the surrounding mountains.

1128. Russia and Japan have still not signed a peace treaty to end World War Two.

1129. During World War Two, prisoners in Canadian war camps were so well treated that they were given games and entertainment like soccer tournaments and musical groups. When the war ended, many of them didn't want to leave Canada.

1130. In 1945, a man named Tsutomu Yamaguchi survived the atomic blast at Hiroshima only to catch the morning train so that he could arrive at his job on time in Nagasaki where he survived another atomic blast.

1131. Since 1945, all British tanks have come equipped with tea making facilities.

1132. The most successful interrogator

Seconde Guerre mondiale était Hanns Scharff qui, au lieu d'user de la torture, se liait d'amitié avec le prisonnier. Il gagnait ainsi sa confiance en l'amenant au cinéma, ou en prenant un café avec lui.

of World War Two was Hanns Scharff who, instead of using torture, would befriend the prisoner. He would gain their trust by taking them to a cinema on camp and sharing a coffee or tea with them.

1133. Le sous-marin britannique HMS Trident avait à son bord un renne adulte comme animal de compagnie pendant 6 semaines durant la Seconde Guerre mondiale.

1133. The British submarine HMS Trident had a fully grown reindeer onboard as a pet for six weeks during WWII.

1134. Avant que les Nazis utilisent le salut que l'on connaît sous le nom de salut d'Hitler, il s'appelait le « salut de Bellamy, » et était utilisé par les américains pour saluer le drapeau, avant d'être remplacé en 1942 par le salut de la main sur le cœur.

1134. Before Nazis used the salute we now know as Hitler's salute, it was called the "Bellamy salute," and it was used by Americans to salute the flag until it was replaced in 1942 by the hand over heart salute.

1135. Chaque année, les Pays-Bas envoient 20 000 tulipes au Canada afin de les remercier de leur aide pendant la Seconde Guerre mondiale.

1135. Every year the Netherlands sends 20,000 tulip bulbs to Canada to thank them for their help in the Second World War.

1136. Durant la Seconde Guerre mondiale, deux officiers japonais, Tokiashi Mukai et Tsuyoshi Noda, ont fait le pari de celui qui tuerait 100 personnes en premier avec seulement une épée. Bizarrement, ce pari a été relayé par les journaux japonais comme s'il s'agissait d'un événement sportif avec une mise à jour régulière du score.

1136. During World War Two, two Japanese officers named Tokiashi Mukai and Tsuyoshi Noda had a contest or race to see who could kill 100 people first using only a sword. Disturbingly it was covered like a sporting event in Japanese newspapers with regular updates on the score.

1137. Le drapeau des Philippines est inversé en temps de guerre, la partie rouge apparaît alors en haut ; en période de paix, c'est le côté bleu qui prend le dessus.

1137. The Filipino flag is flown with its red stripe up in times of war and blue side up in times of peace.

1138. La marine américaine possède plus de 30 dauphins tueurs. Ils sont entraînés à la chasse et transportent des armes comportant des fléchettes toxiques qui sont si mortelles qu'une seule suffit à tuer un homme.

1138. The US Navy owns over thirty killer dolphins. They are trained to hunt, and carry guns with toxic darts in them that are lethal enough to kill someone in one shot.

1139. Les soldats Chinois plantent des aiguilles dans le col de leurs chemises afin

1139. Chinese soldiers stick needles in their shirt collars in order to keep a

de garder une posture droite lors des défilés militaires.

1140. Hitler collectionnait les objets juifs car il espérait ouvrir un musée une fois que la race serait éteinte après la Seconde Guerre mondiale.

1141. La plus grosse bombe du monde ayant explosé fut la bombe Tsar, lancée le 30 octobre 1961 par l'Union soviétique. L'explosion était 3 000 fois supérieure à celle d'Hiroshima. L'impact était tel qu'il a brisé toutes les fenêtres dans un rayon de 900 km (560 miles).

1142. Les guerres entre les Romains et les Perses se sont étendues sur une période de 721 ans, c'est donc le conflit humain le plus long de l'histoire.

1143. David B. Leak était un soldat américain ayant combattu durant la guerre de Corée qui a reçu la médaille d'honneur après avoir tué 5 soldats, dont quatre à mains nues, alors qu'il veillait sur l'un de ses coéquipiers en soins médicaux après avoir reçu une balle.

1144. Si vous avez aimé ce livre et que vous avez appris quelque chose, merci de bien vouloir laisser un commentaire pour que d'autres puissent le trouver facilement et qu'il attise leur curiosité !

straight posture during military parades.

1140. Hitler collected Jewish artifacts for a museum of what he hoped to be an extinct race after the Second World War.

1141. The largest detonated bomb in the world was the Tsar Bomb on October 30, 1961, by the Soviet Union. The blast was 3,000 times stronger than the bomb used on Hiroshima. The impact was enough to break windows 560 miles (900 kilometer) away.

1142. The wars between Romans and Persians lasted about 721 years, the longest conflict in human history.

1143. David B. Leak was an American soldier from the Korean War who was given the Medal of Honor after killing five soldiers, four with his bare hands, while giving medical attention to one of his comrades after being shot.

1144. If you enjoyed this book and learned anything, it would mean the world to me if you could please leave a review so others can easily find this book and itch their curiosity!

Did you enjoy the book? Please consider leaving a review as it really helps out small publishers like French Hacking! You can do so by scanning the QR code below which will take you straight to where you can leave a review.

Below are some other titles you may enjoy. Just search for them on Amazon by typing French Hacking and you'll be able to find them.

Manufactured by Amazon.ca
Bolton, ON